Comment nourrir
son enfant
de la
naissance
à
2 ans

Couverture:
- Photo:
  FRANÇOIS DUMOUCHEL
- Maquette:
  JACQUES BOURGET

Maquette intérieure:
- conception graphique:
  GAÉTAN FORCILLO
- dessins:
  MARIE-CLAIRE

NOTE: Les raisins et autres petits fruits à grains ne devraient pas être donnés à des enfants de moins de dix-huit mois.

DISTRIBUTEURS EXCLUSIFS:

- Pour le Canada et les États-Unis:
  LES MESSAGERIES ADP*
  955, rue Amherst, Montréal H2L 3K4
  Tél.: (514) 523-1182
  Télécopieur: (514) 939-0406
  * Filiale de Sogides Ltée

- Pour la Belgique et le Luxembourg:
  PRESSES DE BELGIQUE S.A.
  Boulevard de l'Europe 117
  B-1301 Wavre
  Tél.: (10) 41-59-66
      (10) 41-78-50
  Télécopieur: (10) 41-20-24

- Pour la Suisse:
  TRANSAT S.A.
  Route des Jeunes, 4 Ter
  C.P. 125
  1211 Genève 26
  Tél.: (41-22) 342-77-40
  Télécopieur: (41-22) 343-46-46

- Pour la France et les autres pays:
  INTER FORUM
  Immeuble ORSUD, 3-5, avenue Galliéni, 94251 Gentilly Cédex
  Tél.: (1) 47.40.66.07
  Télécopieur: (1) 47.40.63.66
  Commandes: Tél.: (16) 38.32.71.00
                  Télécopieur: (16) 38.32.71.28
                  Télex: 780372

Louise Lambert-Lagacé / diététiste

Comment nourrir son enfant
de la naissance à 2 ans

avec la collaboration de Lison Chauvin-Désourdy
Préface du docteur J. Letarte

Bibliothèque nationale du Québec
Dépôt légal — 2e trimestre 1980

ISBN 2-7619-0085-5

Préface

Suite à de nombreuses études cliniques, nos connaissances touchant la nutrition de l'enfant et les répercussions de l'alimentation de la femme enceinte sur le foetus se sont enrichies à un rythme accéléré. La physiologie digestive ainsi que les normes de croissance et de développement du bébé sont devenues plus accessibles. En outre, les conséquences de l'alimentation durant la première enfance sur l'état de santé de l'adulte sont apparues plus distinctement. L'obésité, l'hypertension artérielle et l'hypercholestérolémie en sont des exemples frappants.

C'est ainsi que les recommandations touchant l'allaitement, la sélection des laits, le moment idéal d'introduction des solides et leurs caractéristiques ne reposent plus sur des données empiriques, mais plutôt sur des évidences scientifiques bien établies. La plupart des associations nationales et internationales ainsi que les organismes de santé gouvernementaux ont d'ailleurs atteint un consensus sur les aspects les plus importants de la nutrition. Il est indéniable qu'il persiste encore des questions en litige. Elles ne devraient cependant pas tarder à trouver une réponse satisfaisante.

L'ouvrage de Louise Lambert-Lagacé constitue une synthèse de haut calibre des notions actuelles. Les parents soucieux de l'alimentation de leur enfant y trouveront un guide clair et concis, parfaitement adapté à leurs besoins. Cet ouvrage pourra être consulté avec profit par quiconque s'intéresse à la prévention des maladies nutritionnelles et au développement d'enfants sains, gage de générations futures plus aptes à affronter les rigueurs de leur milieu.

Jacques Letarte, m.d., CSPQ (Péd.), CSPQ (Endo.)
Directeur
Laboratoire de nutrition
Hôpital Sainte-Justine
et
Département de pédiatrie
Université de Montréal

Montréal, 18.02.80

Remerciements

Lison Chauvin-Désourdy, diététiste, a collaboré active-ment à la recherche bibliographique, à l'enquête sur l'allaitement au Québec, à la revue des produits alimen-taires pour bébés, au calcul de la valeur nutritive des menus et à l'expérimentation des nouvelles recettes. Pendant plus de dix-huit mois, son enthousiasme contagieux et son travail sérieux m'ont été d'un précieux secours!

Pédiatre de mes trois filles depuis leur naissance et at-taché à l'hôpital Sainte-Justine, le docteur *René Benoît* m'a beaucoup encouragée en révisant soigneusement le manuscrit; ses suggestions m'ont permis d'ajuster la théorie à la pratique.

Le docteur *Jacques Letarte*, professeur agrégé à la faculté de Médecine de l'université de Montréal, pédiatre et chef du service d'Endocrinologie et du métabolisme de l'hôpital Sainte-Justine, a, lui aussi, relu scrupuleusement le texte. Ses commentaires et sa préface confèrent plus de crédibilité à cet ouvrage et suscitent toute ma gratitude.

Lise Gauthier a une fois de plus dactylographié le manuscrit avec patience, diligence et précision.

Marie-Claire, ma cadette de 13 ans, m'a offert de jolis dessins qui complètent admirablement bien les illustrations déjà présentes dans la première édition.

À ces précieux collaborateurs de la première et de la dernière heure, je redis merci!

Introduction

Après cinq ans d'existence et 175 000 lecteurs, *Comment nourrir son enfant* devait être révisé pour tenir compte des données scientifiques les plus récentes.

Plutôt que d'insérer des modifications tout au long du texte, j'ai préféré faire table rase et écrire presque un nouveau livre. Cette deuxième édition renferme donc dix «nouveaux» chapitres consacrés à l'alimentation pendant la grossesse, à l'allaitement et aux dix-huit premiers mois de l'enfant. Les six autres chapitres, à peine modifiés, feront éventuellement partie d'un second livre sur l'alimentation du préscolaire.

Depuis la publication en 1974 de la première édition, des centaines de parents m'ont questionnée sur différents aspects de la nutrition de l'enfant; ces questions m'ont aidée à préciser les inquiétudes parentales et à mieux jauger le type d'informations requises; elles ont grandement contribué à orienter cette deuxième édition.

D'autre part, au cours de la même période, de nombreuses recherches ont été effectuées pour mieux cerner les besoins nutritifs du jeune enfant et évaluer les retombées de l'alimentation des premières années de vie sur la santé future d'un individu. Toutes ces questions n'ont pas reçu de réponses définitives, mais plusieurs organismes professionnels et plusieurs ministères concernés ont élaboré des directives sur le sujet.

Cette deuxième édition se veut un reflet du consensus déjà établi sur l'alimentation de l'enfant, de la conception à dix-huit mois; elle demeure un guide pratique facilitant la planification de menus savoureux et nutritifs, l'introduction des aliments solides et la préparation des purées maison.

Dans sa forme révisée et rajeunie, puisse ce livre vraiment aider tous les parents soucieux de bien nourrir leur enfant!

Chapitre I
Pourquoi bien nourrir son enfant?

Il y a cinquante ans, on surveillait l'alimentation d'un enfant pour assurer sa croissance et le soustraire à des déficiences nutritionnelles.

De nos jours, on vise un résultat à plus long terme et on fonde de grands espoirs sur les aliments donnés les premières années. On espère même éliminer les deux plus grandes ennemies de notre santé, soit l'obésité et les maladies cardio-vasculaires.

Pour permettre au lecteur de mieux cerner l'impact de la nutrition des premières années, l'auteur de cet ouvrage a interrogé le docteur Jacques Letarte, pédiatre et endocrinologue de l'hôpital Sainte-Justine à Montréal.

L.L.L.:   Pendant les premiers mois de vie, l'alimentation peut-elle avoir des effets sur la santé de l'enfant?

J.L.:   En évitant de donner du lait de vache ordinaire au bébé avant l'âge de six mois et en n'introduisant les aliments solides qu'après l'âge de quatre mois, on réduit grandement les problèmes d'anémie et de déshydratation chez le bébé. C'est de la prévention à court terme.

L.L.L.:   Peut-on parler de prévention «à long terme» grâce à une bonne alimentation au cours de la première année de vie?

J.L.: Habituer l'enfant à choisir des aliments sains et à manger des portions raisonnables, c'est le lancer sur la bonne voie! En favorisant de bonnes habitudes alimentaires, on dimimue les risques d'obésité par exemple, mais ce n'est pas une action «garantie». Les bonnes habitudes doivent se maintenir plusieurs années pour mettre toutes les chances du côté de l'enfant!

L.L.L.: Un gros bébé devient-il nécessairement un adulte obèse?

J.L.: À l'heure actuelle, il y a beaucoup de nuances à apporter à cette question; dans plus de 80% des cas, le gros bébé à la naissance n'est pas gros à un an et ne sera pas nécessairement gros à l'âge adulte. Ce qu'il faut surveiller de près, c'est la vitesse du gain de poids; le bébé qui prend du poids trop rapidement au cours de la première année de vie présente plus de risques à long terme que le gros bébé qui présente une courbe constante de croissance normale par rapport à son poids de naissance.

L.L.L.: La théorie des cellules de gras qui se multiplient très rapidement au cours de la première année est-elle remise en question?

J.L.: La plupart des recherches dans ce domaine ont été effectuées sur des animaux; l'on rapporte très peu d'expériences humaines. On sait maintenant qu'il existe plusieurs périodes d'intense multiplication des cellules de gras au cours de l'enfance et de l'adolescence, mais que la multiplication est plus importante pendant les douze premiers mois. Si un bébé de huit mois mange beaucoup plus que ses besoins, il stimule la multiplication des cellules de gras; sans être réversible, le phénomène peut s'atténuer dans les années qui suivent lorsque l'alimentation est réajustée aux besoins de l'enfant. L'obésité irréversible à un an est un mythe, tandis que le poids normal à la fin de l'adolescence est une quasi-prédiction du poids normal à long terme.

L.L.L.: Quels sont les points à retenir pour prévenir l'obésité?

J.L.: Il ne faut surtout pas exagérer les risques et priver un gros bébé de manger ou encore lui donner du lait écrémé à quelques mois. On recommande toutefois de bien suivre la courbe de son poids et d'être attentif à la vitesse du gain de poids, particulièrement dans une famille déjà aux prises avec des problèmes d'obésité. Il est évident que chez un enfant né de parents obèses, les risques sont beaucoup plus élevés que chez un enfant dont les parents sont de poids normal.

L.L.L.: Peut-on prévenir les problèmes cardio-vasculaires dès la tendre enfance?

J.L.: Dans la famille «à risque», (soit dans celle où le père, la mère ou les grands-parents ont eu un problème cardiaque ou un taux très élevé de cholestérol sanguin avant l'âge de 50 ans), la prévention est essentielle dès le plus jeune âge. Les dépôts de cholestérol au niveau des tissus commencent dès la première année de vie, mais ces dépôts sont réversibles jusqu'à l'âge de 20 ans. En évitant systématiquement certains aliments, on peut retarder la formation de plaques «irréversibles» et, peut-être, contourner les graves problèmes cardio-vasculaires.

L.L.L.: Quels sont les aliments à éviter dans le cas de jeunes enfants dont le taux de cholestérol est trop élevé?

J.L.: On doit éliminer du menu le jaune d'oeuf, les abats (foie, rognons, coeur), les charcuteries (pâtés, saucisses, salami), la crème, le beurre, la noix de coco et le chocolat. Il s'agit bien entendu d'un régime assez sévère destiné à des enfants hypercholestérolémiques; pour bien équilibrer l'alimentation de tels enfants, ces familles ont tout intérêt à consulter des spécialistes dans le domaine et des diététistes.

L.L.L.: Chez les enfants de familles «bien portantes», peut-on prévenir les maladies cardio-vasculaires en ayant recours aux mêmes restrictions?

J.L.: Il demeure incontestable qu'une consommation «modérée» d'aliments riches en graisses «saturées» (viande, charcuteries, beurre, fromages) et d'aliments riches en cholestérol est bénéfique pour l'ensemble de la population. Il n'y a, par ailleurs, aucune raison qui justifie une réduction considérable des oeufs, du foie, du lait et des fromages dans le menu des enfants en santé. Un menu contenant moins de viande, plus de poisson, de volaille, de fruits, de légumes et de céréales à grains entiers, sans oublier des produits laitiers à faible teneur en gras, assure la croissance de l'enfant et peut limiter à long terme les problèmes cardio-vasculaires.

L.L.L.: La carie dentaire est un problème très répandu chez nos enfants; peut-on y remédier?

J.L.: On peut largement diminuer ce problème tout au long de l'enfance et pratiquer une vraie prévention à long terme:
- en évitant à tout prix de tremper la tétine du bébé dans du miel ou du sirop pour l'endormir en douceur...
- en donnant à l'enfant un supplément de fluor dès sa première année de vie si l'eau de la municipalité n'est pas fluorée (consulter le tableau 20 au chapitre VIII);
- en surveillant de près la consommation de sucres concentrés chez l'enfant, particulièrement à l'heure des collations;

- en inculquant très tôt à l'enfant l'habitude de se brosser régulièrement les dents.

Les effets bénéfiques d'une saine alimentation ne s'arrêtent pas là! Tour à tour, on souligne dans ce livre les heureux effets de l'allaitement maternel, de l'introduction lente des solides et des menus de santé pour bout-de-chou!

Chapitre II
Les bonnes habitudes alimentaires se forment au berceau

Enracinées dans une foule de souvenirs, les habitudes alimentaires d'un individu se trament au fil des ans et des expériences gustatives. Loin d'être statiques, elles évoluent tout au long de la vie, mais reflètent toujours les goûts acquis au contact du milieu familial et de l'environnement culturel immédiat. Elles se cristallisent pendant l'enfance autour des aliments familiers et des rites traditionnels des repas.

L'enfant qui avale fritures et sucreries entre deux annonces publicitaires..., qui mange peu de fruits ou de légumes et qui n'étanche sa soif qu'avec une boisson gazeuse ou une boisson colorée à saveur de fruits, n'a pas le même bagage de souvenirs sensoriels que l'enfant initié tout petit à des aliments «santé».

L'initiation à des aliments peu transformés, peu sucrés ou peu salés, s'effectue naturellement, sans douleur, dans un milieu déjà vendu à une alimentation saine et variée; par contre, l'adoption de meilleures habitudes alimentaires à l'âge adulte équivaut à une «conversion» pénible parce que tardive et contraire aux habitudes acquises au berceau!

L'attitude du milieu face aux aliments et les multiples messages «non verbaux» communiqués quotidiennement à l'enfant contribuent autant à l'édification des habitudes alimentaires que la nature des aliments déposés dans l'assiette.

Aliments santé, aliments plaisir

Manger est essentiellement un acte agréable; Dieu merci, le Créateur l'a planifié ainsi! Vouloir neutraliser ce plaisir serait carrément contre nature et vraiment contraire à l'esprit de la démarche proposée.

Il existe de multiples façons d'associer le plaisir aux aliments sains; répétées et acceptées par la famille et le milieu, de telles associations deviennent les messages les plus forts que l'on puisse communiquer à l'enfant pour favoriser chez lui l'éclosion de bonnes habitudes alimentaires. Ainsi:

- la présence régulière de légumes verts, jaunes ou blancs, servis crus ou cuits, même croqués entre les repas par tous les membres de la famille, ne peut que faciliter leur adoption par l'enfant, malgré quelques «grèves» typiques des années préscolaires;
- les exclamations répétées des parents devant les premières asperges du printemps, les mange-tout et les carottes sucrées de l'été, les jolies courges et les aubergines d'automne, leur enthousiasme devant la grande variété de verdures disponibles façonnent chez l'enfant une attitude positive envers ces aliments et l'incitent à tenter des expériences dans la joie;
- l'achat régulier de poissons, de mollusques ou de crustacés habitue l'enfant à la vraie saveur des produits de la mer et l'invite à de multiples aventures culinaires qui dépassent la dégustation de bâtonnets ou de carrés de poisson pané et congelé;

- l'accueil chaleureux du fruit frais à l'heure du dessert ne frustre aucunement l'enfant qui n'a pas connu les tartes ou gâteaux quotidiens: pour lui, le fruit devient le reflet des saisons et ne sera jamais le dessert «triste réservé aux régimes amaigrissants»;
- la consommation fréquente de plats végétariens à base de légumineuses, en plus d'être agréable, peut mettre subtilement un terme au mythe du bifteck, pendant qu'il est encore temps.

Faire la fête autour des aliments sains et savoureux est le meilleur moyen d'initier positivement un enfant à une alimentation santé; cette démarche sous-entend que les parents mangent eux-mêmes sainement, mais n'élimine pas tout luxe occasionnel ni gâterie traditionnelle. Une fois n'est pas coutume!

Nourriture physique et émotive

Nourri quand il a faim, le nourrisson est «physiquement» satisfait; cajolé et réchauffé dans les bras de sa maman au moment de la tétée, il est aussi «émotivement» satisfait. Pour le bébé, satisfactions physique et émotive correspondent au repas et à la chaleur maternelle et répondent simultanément à deux besoins distincts, soit la faim et le besoin d'affection. Cette réunion peut subtilement créer de la confusion dans l'esprit du bébé si on n'y prend garde.

L'enfant nourri au moindre pleur ou suralimenté pour prolonger son sommeil ne peut plus, au bout de quelques semaines, différencier entre le besoin de manger et d'autres malaises. La nourriture est devenue la solution à tous ses problèmes: besoins d'attention, d'affection, de distraction.

Depuis plusieurs années, le docteur Hilde Bruch, psychiatre, tente d'élucider certains problèmes aigus de comportement alimentaire (boulimie, obésité, anorexie) et relie ces dérèglements à des expériences qui remontent à la petite enfance[1]. Lorsque de tels troubles se manifestent, les aliments ne répondent plus aux besoins nutritifs, mais symbolisent quasi exclusivement les besoins suivants par ordre d'importance ou de fréquence:

- un désir insatiable d'amour inaccessible,
- une expression de rage ou de haine,
- un refus ascétique,
- une substitution de gratification sexuelle,
- une défense contre la maturité et les responsabilités,
- une fausse sensation de pouvoir.

Suite à l'étude de nombreux cas, le docteur Bruch souligne que le mécanisme de la faim nécessite un apprentissage adéquat pour se développer normalement; on ne vient pas nécessairement au monde gros ni petit mangeur:

- on apprend à avoir faim quand c'est le temps;
- on apprend à rester sur son appétit;
- on peut facilement «désapprendre» très tôt dans la vie.

Un nourrisson forcé à finir son biberon ou à vider son plat ne maîtrise aucunement son appétit; par contre, un bébé qui tète chaque sein plus de 30 minutes boit souvent trop. Cela signifie que, dès les premières semaines, la mère peut participer activement à l'apprentissage du contrôle de la faim en apprenant à l'enfant à reconnaître les divers besoins de son corps et à les satisfaire convenablement.

Une satiété à établir à deux

La mère et l'enfant ont tous les deux un rôle à jouer dans le développement normal du mécanisme de la faim du bébé.

Même s'il n'est pas tout à fait «fini», le nouveau-né est capable de manifester ses désirs et ses besoins dès les premières heures de vie:

- il sait pleurer, tousser, avaler, vomir;
- il sent et entend;
- il est sensible à la douleur et au toucher;
- il peut tourner sa tête dans la direction de la joue que l'on touche;
- il peut se débattre, donner des coups de pieds.

Pour aider l'enfant à jouer pleinement son rôle, la mère doit répondre à ses interventions et réagir correctement à ses messages; elle lui permet ainsi de mieux se connaître et de mieux se développer.

La maman qui donne des aliments pour apaiser n'importe quel pleur, pour consoler un chagrin ou pour réconforter n'interprète pas correctement le message; celle qui offre de la nourriture en réponse à de vrais cris de faim contribue à l'entrée en action du mécanisme de la faim du bébé. La bonne réaction au bon moment est un des facteurs clés dans la formation du comportement alimentaire du bébé.

Quand le bébé refuse de boire la dernière once de son biberon, inutile d'insister si l'on veut respecter son individualité! Lorsqu'il recule la tête à la fin d'un repas solide, il indique clairement qu'il en a assez; il est important de répondre à ce signal de satiété.

Quand le bébé n'accepte pas soit la viande, soit un légume lors de l'introduction des différents aliments solides, il vaut mieux le laisser faire et lui redonner l'aliment «litigieux» à un autre repas. L'acceptation de nouveaux aliments ne se fait que graduellement avec de la patience et de la compréhension. Ce serait un manque de respect envers l'enfant que de le forcer à avaler tel ou tel aliment. Même les adultes ont des caprices.

Lorsque l'appétit diminue, il n'y a pas lieu de gaver le bébé sous prétexte qu'il doit manger pour être en forme... L'appétit d'un enfant subit «normalement» des variations tout au long des premières années de vie. Les pertes d'appétit se manifestent habituellement lorsque le rythme de croissance ralentit.

La mère qui comprend et réagit correctement aux messages que lui transmet son enfant permet à celui-ci de participer activement au processus de l'alimentation.

De l'amour au menu

On parle volontiers de l'écologie d'une plante d'intérieur et on admet sans sourciller que l'eau et la lumière ne suffisent pas à son plein épanouissement. On dit qu'elle pousse mieux, fleurit plus souvent si on lui parle et si on la place en bonne compagnie...; on ajoute même que certaines mélodies stimulent sa croissance. C'est une question d'environnement favorable!

Pour une croissance et un développement optima, l'enfant a, lui aussi, des besoins écologiques qui débordent les limites traditionnelles de la nutrition. Les aliments, même donnés en quantité adéquate, ne le servent pas pleinement; d'autres ingrédients, tels l'attitude affectueuse des parents, s'ajoutent au menu quotidien pour compléter l'environnement santé.

Loin d'être inopportune dans un livre de nutrition, cette association «aliments-environnement socio-affectif» a fait l'objet de nombreuses recherches auprès d'enfants d'Amérique latine afin de minimiser les effets de la malnutrition. Dans l'une de ces études, on a donné à un groupe de nourrissons une ration supplémentaire d'aliments pendant les six premiers mois de vie et on a comparé leur gain de poids, leur état de santé à ceux d'un groupe témoin de bébés du même âge et du même village guatémaltèque, mais qui ne recevaient pas d'aliments supplémentaires. Issus de familles plus nombreuses, plus pauvres et moins éduquées, les nourrissons «supplémentés» pendant six mois ont eu un gain de poids inférieur et un taux de maladie supérieur à ceux du groupe témoin; les aliments additionnels n'ont pas su contrebalancer l'environnement immédiat inadéquat[2].

Ce cas extrême met en évidence l'importance du milieu et des ingrédients supplémentaires comme l'attention et l'affection pour compléter le menu du nourrisson.

Dans la même veine, mais d'après une autre étude, on a remarqué qu'il existait une relation positive entre l'état de nutrition de jeunes enfants et la communication verbale entre la mère et l'enfant: plus il y avait d'échange de sons ou de parole entre la maman et l'enfant, plus l'état de nutrition des enfants était satisfaisant.

C'est une question d'environnement favorable!

Des repas partagés

Pour l'adulte, l'heure du repas marque une étape agréable de la journée, une pause sociale; il y partage non seulement des aliments, mais des idées et des sentiments.

Pour l'enfant, même petit, partager un repas en famille constitue l'un des premiers actes sociaux. Lorsqu'il a commencé à manger seul, le repas devient pour lui le moment privilégié pendant lequel il rencontre les yeux de papa, il entend sa voix.

Cette intégration ne signifie pas que le tout-petit doive toujours avoir le même menu que les autres. Elle sous-entend plutôt une insertion sociale, une participation à une activité familiale.

Le regretté docteur Jean Trémolières soulignait un aspect bien important du repas familial en écrivant: *C'est finalement dans les rites très simples, autour de la table familiale que se dessinent ces deux images sans lesquelles il n'y a pas eu jusqu'ici de civilisation et sans lesquelles la psychanalyse nous apprend qu'il n'est guère possible d'avoir un équilibre personnel: la Mère, le Père. Les aliments prennent une valeur symbolique qui mêle leurs qualités propres à celles de ceux qui nous les donnent*[4].

Même si la famille se resume a deux personnes, la mère et l'enfant, le partage du repas vaut mieux que la solitude de l'enfant dans un coin de la cuisine.

Heure des repas, heure de détente

Cette heure de repas doit toutefois se dérouler dans un climat «agréable». Ce n'est pas le moment pour les réprimandes et les règlements de compte, pour les disputes ou les discussions trop violentes. Une atmosphère «bouillante» à l'heure des repas peut couper l'appétit souvent fragile d'un enfant d'âge préscolaire. Si l'enfant associe heure de repas et champ de bataille..., il perdra l'aspect «plaisir» essentiel à la formation de bonnes habitudes alimentaires.

Il est inutile d'insister pour faire accepter tel ou tel aliment à l'enfant; ce dernier peut devenir un tyran si les parents tombent dans le piège. Le repas devient alors une épreuve de force entre les parents qui contraignent l'enfant et l'enfant qui refuse de plus belle certains aliments.

Le professeur A.S. Neil, auteur bien connu de «Libres enfants de Summerhill» mentionne dans «La liberté, non l'anarchie» le phénomène suivant: *Chez l'enfant, un complexe de nourriture contient un élément de protestation; l'enfant se sert de ses préférences à table pour proclamer: «C'est moi qui commande ici, on m'écoute.»*[5]

Les caprices

Que celui qui n'a pas de caprice lance la première pierre.

Sans les éliminer complètement, il est possible de les contourner, dans le seul but de conserver l'équilibre du régime alimentaire de l'enfant. Aucun aliment n'est irremplaçable. Une mère bien renseignée peut substituer, à un aliment donné, un autre de même valeur nutritive sans que l'enfant en souffre. Souvent, l'enfant refuse systématiquement les légumes cuits, mais croque avec plaisir les légumes crus; celui qui rejette le lait accepte peut-être de manger les yogourts, le fromage, le lait glacé ou même un lait aromatisé avec un fruit. Comme on a su respecter l'appétit du nouveau-né devant son biberon et ses premiers aliments solides, il est important de respecter les goûts et les dégoûts du préscolaire. Ce respect n'implique ni une démission ni une acceptation définitive des caprices...: il sous-entend une plus grande compréhension de la part des parents désireux de bien nourrir leur enfant.

Les caprices sont, pour l'enfant, une manifestation de la personnalité, de l'individualité; ils se forment chez l'enfant d'âge préscolaire à un moment où l'appétit est «normalement» au ralenti.

Si les parents réagissent correctement au refus et aux «caprices-minutes», si la guerre ne se déclare pas à chaque repas, l'enfant capitulera sans s'en rendre compte. Trop insister sur tel ou tel aliment revient à lui donner une trop grande importance et peut le rendre tabou pour la vie, ce qui va à l'encontre de la formation de bonnes habitudes alimentaires.

Plus il y a de mythes et de tabous rattachés aux aliments, moins il y a d'ouverture envers une gamme diversifiée d'aliments, plus il est difficile d'atteindre une alimentation saine et équilibrée à l'âge adulte.

Le docteur Rudolf Dreikurs, dans son livre «Le défi de l'enfant[6]», présente plusieurs situations problèmes et indique aux parents une façon d'y remédier. Certains passages s'intègrent assez bien à la morale de ce chapitre. Ainsi, l'extrait suivant souligne la nécessité d'avoir recours à des conséquences naturelles et logiques plutôt qu'à des punitions et à des récompenses:

> *Les punitions et les récompenses sont inefficaces. En revanche, si nous permettons à l'enfant de prendre conscience par l'expérience des conséquences de ses actes, il apprendra de façon honnête et réelle ce qu'est la vie.*
>
> *Cas présenté: Alice, 4 ans, est fragile. Papa et maman sont persuadés qu'elle serait en meilleure santé si elle mangeait davantage.*
>
> *À table, Alice commence bien son repas. Quand la conversation s'installe, elle cesse de s'intéresser à la nourriture. Papa lui demande gentiment de manger, et elle le fait avec entrain, mais dès que la conversation reprend, Alice repose la fourchette. Tout le repas se passe à stimuler Alice.*
>
> *C'est uniquement pour garder l'attention de ses parents qu'Alice montre peu d'appétit. Quand un enfant pose un problème d'alimentation, il y a toujours un parent fautif. Les parents doivent s'occuper de leurs affaires, pas de celles de l'enfant, et la manière la plus simple de faire manger Alice, c'est de la laisser manger.*
>
> *Si elle refuse, on débarrasse son assiette une fois le repas terminé. Les parents doivent garder une attitude*

amicale. Au prochain repas, pas avant, on offre de la nourriture.

Si elle grogne à nouveau, on ne dit rien, la gentillesse est de mise à table. On peut éventuellement retirer la nourriture si l'enfant joue avec. Si Alice a faim une heure après, maman doit répondre: «C'est ennuyeux, je regrette que tu aies faim, mais le dîner est à 6 heures.» Il s'agit de lui faire comprendre la conséquence réelle de ses actes.

Si on menace Alice de la faim, elle comprend que ses parents sont inquiets de la savoir sans nourriture durant plusieurs heures. Elle se prive volontairement de son déjeuner et souffrira de la faim pour les punir...

Les caprices alimentaires disparaissent quand on les aborde avec une attitude souple et «logique»...

L'exemple avant les mots

Les parents doivent aussi reconnaître «les conséquences logiques» de leurs actes. Au risque de répéter le même refrain une fois de plus, il faut bien admettre que les bonnes habitudes alimentaires ne s'acquièrent pas chez le voisin ou sur la rue, mais en observant papa et maman manger trois fois par jour, 365 jours par année.

L'enfant initié au plaisir de manger des aliments variés dès ses premières années n'a pas besoin de discours sur la vitamine C, sur le fer ni sur les aliments qui font grandir. Après tout, veut-on en faire un diététiste ou, simplement, une personne heureuse de manger des aliments sains et savoureux?

La petite boutade qui suit illustre bien les avantages d'une démarche «saveur-santé» par comparaison avec un cours de nutrition adapté aux tout-petits: «J'aimais beaucoup les épinards jusqu'à ce que ma mère me dise que c'était bon pour la santé»...

Le conditionnement alimentaire de l'enfant à son insu et dans la joie... demeure le plus grand espoir des nutritionnistes à l'heure actuelle.

Bibliographie

Chapitre II — Les bonnes habitudes alimentaires se forment au berceau

1. *Eating Disorders,* Bruch, H.; Basic Books, Inc. Publishers, New York, 1973

2. «The Ecology of Infant Weight Gain in a Pre-industrial Society», Cravioto, J., Birch, H.G., Delicardie, E.R. et Rosales, I.; Acta Paediatrica Scandinavia, 56, 71-84, Janv. 1967

3. *Symposium on early malnutrition & mental development,* Klein, R.E. et coll.; Almquist & Wiksell, Stockholm, Suède, 1974

4. *Nutrition,* Trémolières, J.; Dunod, 1973

5. *La liberté, non l'anarchie,* Neil, A.S.; Petite bibliothèque Payot, no 169, Paris, 1968

6. *Le défi de l'enfant*, Dreikurs, Rudolf; collection «Réponses», éditions du Jour, Robert Laffont, 1972

Chapitre III
Le menu prénatal

Parler d'allaitement maternel, d'aliments pour bébés, sans parler d'alimentation pendant la grossesse me paraît illogique et impardonnable puisque, dans tous les cas, il s'agit de servir une seule et même cause: la fabrication d'un bébé en santé!

Loin de couvrir tout le sujet de l'alimentation de la femme enceinte, ce chapitre donne néanmoins quelques grandes directives alimentaires à mettre en pratique bien avant la naissance de l'enfant.

Hélas, la recette pour préparer un beau bébé en santé ne comprend pas seulement deux tasses d'amour liées à deux tasses d'espoir et bien mijotées pendant neuf mois! D'autres ingrédients, comme l'état de santé de la maman avant la conception, son menu pendant toute la grossesse, ont une grande influence sur le produit final. Après tout, il ne faut pas oublier que la vie commence à la conception et qu'un héritage important se lègue avant la naissance!

Quelques ingrédients en plus...
ou en moins...

Même dans nos pays industrialisés, bien équipés médicalement, la naissance d'un enfant en santé demeure un exploit. Plusieurs mamans réussissent avec brio; malheureusement, quelques-unes perdent leur bébé en cours de grossesse ou à la naissance; d'autres donnent naissance à un bébé de poids très faible, parfois même atteint de malformation physique ou mentale.

Aux États-Unis, 200 000 bébés naissent chaque année avec une malformation quelconque: 85 000 pèsent moins de quatre livres et demie. Au Québec, en 1978, on estimait à 1 400 sur 96 000 les grossesses à risques élevés[1].

Pour prévenir une grande partie de ces problèmes et vraiment aider les futures mamans, on a de plus en plus recours à des «interventions alimentaires». Les résultats de ce genre d'interventions soulignent de façon éclatante la grande influence des bons aliments pendant la période de gestation. Voici quelques exemples frappants d'heureuses interventions alimentaires:

- *Depuis plus de 15 ans, le* Montreal Diet Dispensary *assiste des femmes enceintes de milieu populaire en leur donnant gratuitement du lait, des oeufs, des oranges et en planifiant avec elles un menu adéquat en protéines et en calories. De 1963 à 1972, parmi ce groupe de mères, le nombre de bébés de petit poids à la naissance (moins de cinq livres et demie) a diminué de plus de moitié et le nombre de mortalités à la naissance s'est divisé par trois[2]. Le menu prénatal «amélioré» n'est pas le seul élément responsable de ce progrès, mais il y joue un rôle important.*

- *Au cours de l'année 1977, le ministère de la Santé de l'État du Connecticut a analysé, pour une région donnée, la répartition du taux de mortalité pendant la première année de vie: on a noté trois fois moins de décès chez les bébés de mères ayant reçu des suppléments alimentaires et des conseils sur leur alimentation durant leur grossesse que chez les mères laissées à elles-mêmes[3].*

- *À l'université Harvard, on a calculé, dans quatre régions de l'État du Massachusetts, le nombre de bébés de poids très faible à la naissance en 1977; on a constaté qu'il y avait près de cinq fois moins de petits bébés (moins de cinq livres et demie) nés de mères dont l'alimentation avait été adaptée pendant la grossesse qu'il n'y en avait de mères dont le menu avait été laissé au hasard[3].*

Une question de poids

Du temps de nos grands-mères, la grossesse était presque l'occasion rêvée d'improviser et de multiplier les gourmandises; elles acceptaient l'embonpoint plus ou moins permanent comme prime de maternité... et semblaient être convaincues de la nécessité de beaucoup manger pour avoir un bébé en santé. Les médecins, accablés par des complications d'accouchement résultant de causes diverses, blâmèrent la prise «excessive» de poids des femmes du temps et firent tourner le vent en direction inverse.

Vers la fin des années 50, une femme enceinte mangeait pendant neuf mois avec des remords de conscience, craignant la balance et les remontrances de son médecin; le gain de poids «permis» était alors de 6,5 à 8 kg (15 à 18 livres); ce fut l'époque des futures mères toutes menues, des mini-bébés et d'une nouvelle kyrielle de complications.

En 1970, le Comité sur la nutrition pendant la grossesse du Conseil national de recherche des États-Unis vint rétablir le juste milieu en proposant un gain de poids d'environ 12 kg, soit 27 livres[4].

Cette recommandation sage et réaliste découle d'une avalanche d'observations et d'enquêtes scientifiques qui démontrent qu'une mère nourrie adéquatement pendant la grossesse donne naissance à un bébé de poids normal, ayant toutes les chances de survivre et de se développer normalement sur les plans physique et mental. On sait aussi que le poids du bébé à la naissance reflète en général l'alimentation de la mère et son gain de poids pendant la grossesse; il détermine son développement et sa santé ultérieurs!

Un gain de poids insuffisant pendant la grossesse est associé à la naissance d'un bébé plus petit; or, l'Organisation mondiale de la Santé estime qu'un bébé pesant moins de cinq livres et demie à la naissance n'a pas les mêmes chances de survie ni de santé qu'un bébé de poids normal, né à terme (3,3 à 3,5 kg ou 7 à 8 livres).

Des livres bien utilisées

On s'imagine peut-être que le poids pris en cours de grossesse sert exclusivement à bâtir les tissus du bébé et que le surplus colle aux hanches maternelles... La réalité est un peu plus complexe que ça!

Le tiers des livres acquises en neuf mois sert directement à la fabrication des tissus du bébé. Les deux autres tiers travaillent aux «services auxiliaires»: l'utérus agrandi donne au foetus un logis sur mesure; le placenta sert de cantine mobile et le liquide amniotique, de lit d'eau. L'augmentation de 33% du volume sanguin et le grossissement des tissus et des seins de la maman lui assurent un ravitaillement adéquat avant et après la naissance. Quelques livres seulement sont déposées sous forme de réserves maternelles... pour faciliter la récupération après l'accouchement et fournir de l'énergie au cours de l'allaitement. En chiffres ronds, le gain de poids au cours des neuf mois de grossesse se répartit comme suit:

foetus (bébé)	(3 kg)	7 livres
placenta	(0,6 kg)	1,5 livres
liquide amniotique	(0,9 kg)	2 livres
utérus	(0,9 kg)	2 livres
seins	(0,4 kg)	1 livre
augmentation du volume sanguin	(1,4 kg)	3 livres
liquides tissulaires	(1,4 kg)	3 livres
réserve de graisses	(2,7 kg)	6 livres
au total:	(11,3 kg)	25,5 livres

Un gain régulier

Un gain de poids qui se manifeste graduellement tout au long des neuf mois répond mieux aux nombreuses exigences du foetus et de la mère qu'un gain de poids important mais irrégulier. Le gain total a moins d'importance que le rythme du gain puisque celui-ci doit suivre une courbe qui reflète les besoins du bébé et de l'organisme maternel pendant toute la durée de la grossesse.

Même si la croissance du foetus est très lente les trois premiers mois, il ne faut pas sous-estimer les nouveaux besoins énergétiques qu'entraîne la réorganisation interne du corps maternel, précédemment désignée sous l'expression «services auxiliaires»... On recommande donc, pendant le premier trimestre, un gain de deux à quatre livres et demie (1 à 2 kg).

Pendant les six derniers mois, un gain d'environ une livre (0,4 kg) par semaine répond aux besoins toujours croissants du foetus.

Régime amaigrissant contre-indiqué

Essentiellement consacrée à la construction d'un être humain, la grossesse n'est pas le moment choisi pour tenter de perdre du poids. La maman rondelette ou obèse n'a aucun intérêt à maigrir pendant cette période cruciale, car un menu quotidien de moins de 1 800 calories la priverait d'éléments nutritifs vitaux tout en nuisant à l'enfant en croissance. La femme enceinte, qui doit puiser son énergie dans ses réserves de graisse pour compenser le manque d'aliments, met en danger le développement physique et mental de son enfant. Il vaut mieux songer au régime amaigrissant *avant* ou *après* la grossesse si on ne veut pas défavoriser les deux principaux intéressés, la mère et l'enfant.

Une alimentation bonne pour deux

Sur le plan strictement médical, une alimentation appropriée aux besoins de la grossesse réduit les risques lors de l'accouchement, permet la croissance d'un bébé en santé, fabrique de bonnes réserves maternelles et prépare à l'allaitement.

Les arguments ne manquent donc pas de force et devraient motiver toutes les futures mamans à mieux manger! Plusieurs y sont sensibles, malheureusement pas toutes[6]. Une étude récente réalisée auprès de plus de 400 femmes enceintes de la région de Montréal démontre que près des deux tiers de ces femmes mangent pendant leur grossesse plus de fruits, de légumes, de produits laitiers et moins de sucreries et de boissons gazeuses. Malgré ces élans positifs, on dénote chez elles une consommation nettement insuffisante de foie ou d'abats et légèrement insuffisante de produits céréaliers et de produits laitiers[7]. D'autres enquêtes révèlent des résultats similaires[17].

Un menu prénatal adéquat n'impose pourtant pas un si grand chambardement alimentaire lorsque les habitudes sont saines au départ... Les principaux changements à apporter au menu quotidien passent quasiment inaperçus au début et ne désorganisent pas le menu du reste de la famille. Les portions augmentent graduellement dans l'assiette de la femme enceinte, mais toutes les additions concernent des aliments de base, faciles à trouver et à préparer.

- Sur le plan des *calories,* on recommande[8] un supplément d'environ 100 calories par jour les trois premiers mois et de 300 calories par jour durant le deuxième et le troisième trimestre. Les trois premiers mois, on obtient facilement... 100 calories de plus en ajoutant au menu quotidien l'*un* des aliments suivants:

---

1. Cent calories de plus par jour

- 6 onces de lait 2%

ou

- 1 once de fromage fin (Edam, Mozzarella, etc.)

ou

- 1 oeuf brouillé

ou
- 1 tranche de pain de blé entier tartiné de beurre ou de margarine

ou
- 100 grammes de yogourt aux fruits.

Au cours du deuxième et du troisième trimestre, on intègre les 300 calories supplémentaires sans trop s'en apercevoir en arrondissant le menu avec les produits laitiers requis et les autres aliments importants.

- Sur le plan des *protéines,* on recommande d'augmenter graduellement, à partir du début de la grossesse, la consommation d'aliments riches en protéines afin d'obtenir dès le quatrième mois de gestation environ 80 grammes de protéines par jour.

On obtient *80 grammes de protéines* en mangeant quotidiennement:

---

2. Quatre-vingts grammes de protéines par jour
- 4 à 4 1/2 onces de viande, de volaille ou de
  poisson de mer......................30 grammes
- 1 oeuf...............................7 grammes
- 1 litre de lait ou l'équivalent en produits
  laitiers.............................35 grammes
- 3 à 4 portions de produits céréaliers
  à grain entier (céréales, pain, etc.)......9 à 12 grammes
  81 à 84 grammes/jour

La femme enceinte «végétarienne», qui ne mange ni viande, ni volaille, ni poisson, mais qui consomme produits laitiers et oeufs, retrouve 80 grammes de protéines en mangeant quotidiennement:

---

3. Quatre-vingts grammes de protéines au menu végétarien
- 1 tasse de légumineuses cuites (haricots, pois secs, lentilles)............................. 12 grammes

- 6 à 7 portions de produits céréaliers à grain entier (pain, céréales, etc.)..................... 18 à 21 grammes
- 3 c. à soupe de noix ou de graines......... 9 grammes
- 1 litre de lait ou l'équivalent en produits laitiers................................. 35 grammes
- 1 oeuf................................ 7 grammes

81 à 84 grammes/jour

- Sur le plan du *calcium,* on recommande[8] une addition de 500 mg par jour aux 700 mg déjà requis dans le menu de la femme en temps normal. Le menu prénatal en contiendra donc 1 200 mg au total.

On obtient 1 200 mg de calcium en consommant chaque jour:

---

4. Mille deux cents mg de calcium par jour

- 1 litre de lait.......................... 1 180 mg/jour

  ou
- 1 1/2 once de fromage fin (Edam, Mozzarella)... 300 mg

  +
- 8 onces de yogourt (nature ou aux fruits)....... 400 mg

  +
- 1 verre de 8 onces de lait.................... 300 mg

  +
- 4 onces de lait dans une portion de céréales.... 150 mg

1 150 mg/jour

À part les produits laitiers, quelques rares aliments fournissent en moyenne 150 à 200 mg de calcium par portion comme le saumon, les sardines et le maquereau en conserve, à condition de le manger *avec* les os.

- Sur le plan du *fer,* on recommande [8] une augmentation quotidienne de 6 mg ce qui chiffre au total les besoins de la femme enceinte à 20 mg par jour. Le fer est un élément nutritif qui ne s'élimine pas une fois ingurgité; la consommation hebdomadaire d'aliments particulièrement riches en fer et bien absorbés par l'organisme (les abats, les huîtres fraîches en saison) permet d'amasser une certaine réserve de ce précieux nutriment pour les autres jours de la semaine.

On obtient 20 mg de fer par jour en mangeant:

---

5. Vingt mg de fer par jour
- 4 onces de boeuf ou de dinde . . . . 4 à 7,5 mg
- 5 portions de produits céréaliers à grain entier . 10 mg
- 5 portions de fruits et de légumes . . . .*. . . . . 2,5 mg

  14,5 à 19,5 mg/jour

La femme enceinte «végétarienne» obtient le fer quotidien en mangeant:

---

6. Le fer quotidien dans un menu végétarien
- 1 tasse de légumineuses cuites . . . . 5 mg
- 6 à 7 portions de produits céréaliers à grain entier . . . . 12 à 14 mg
- 5 portions de fruits et de légumes . . . . 2,5 mg

  19,5 à 21,5 mg/jour

Le fer présent dans les aliments d'origine «végétale» étant moins bien absorbé, les quantités supplémentaires contenues dans le menu végétarien compensent la moins bonne absorption. Mangé avec des fruits ou des légumes riches en vitamine C, le fer est toutefois cinq fois mieux absorbé[18].

- Sur le plan des *vitamines et des autres minéraux,* la femme enceinte a aussi des besoins plus élevés qu'en temps normal. Si elle mange régulièrement les aliments énumérés précédemment, riches en calcium, en protéines et en fer, elle reçoit par surcroît tous les autres éléments nutritifs en quantité convenable.

Finalement, ce sont toujours les mêmes... qui fournissent à l'organisme en gestation ce dont il a le plus faim:

- *le litre de lait ou l'équivalent en produits laitiers* contribuent à la fois aux besoins en *protéines* et en *calcium;*
- *les quatres portions de produits céréaliers à grain entier* (6 à 7 dans un menu végétarien) contribuent à la fois aux besoins en *protéines* et en *fer;*
- *la tasse de légumineuses ou les 4 à 4 1/2 onces de viande* contribuent à la fois aux besoins en *protéines* et en *fer;*
- *les 5 portions de fruits et de légumes* contribuent à la fois aux besoins en *fer* et en *vitamines;*

Les portions suggérées pour chaque groupe d'aliments représentent des quantités «minimales» capables de satisfaire les besoins nutritifs d'une femme bien nourrie avant sa grossesse. Les quantités recommandées dans d'autres publications récentes[20] constituent des portions «maximales»: elles contribuent sans doute à faire du rattrapage nutritif chez les femmes mal nourries au départ[21].

Le menu type qui suit esquisse une façon d'agencer tous ces aliments importants dans une journée:

---

7. Menu type de la femme enceinte*

Avec viande	**Végétarien**
1 agrume ou 1 jus	1 agrume ou 1 jus
céréales à grain entier	céréales à grain entier
4 onces de lait	4 onces de lait
1 *muffin* à grain entier	2 *muffins à grain entier*
1 verre de 6 onces de lait	*1 verre de 6 onces de lait*
1 oeuf	*1 oeuf*
1½ once de fromage	1½ once de fromage
légumes cuits ou crus	légumes cuits ou crus
pain de grain entier	pain de grain entier
1 fruit	1 fruit
175 grammes de yogourt *ou*	175 grammes de yogourt *ou*
1 verre de 6 onces de lait	1 verre de 6 onces de lait

jus ou soupe	jus ou soupe
4 à 4½ onces de viande, de volaille	plat de légumineuses (1 tasse env.)
ou de poisson (abats, 1 fois/semaine)	
légumes cuits ou crus	légumes cuits et/ou crus
pain de blé entier	2 tranches de pain de blé entier
1 fruit	1 fruit
1 verre de 8 onces de lait	1 verre de 8 onces de lait

*Ce menu type ne renferme que les quantités minimales des quatre types d'aliments importants; il respecte les besoins d'une femme sédentaire pesant au moment de la conception entre 110 et 120 livres. Une femme très active ou plus grande et plus forte peut augmenter les quantités pour mieux satisfaire ses besoins plus élevés en calories.

Les aliments peuvent varier à l'infini à l'intérieur de chaque grande catégorie et être répartis différemment tout le long de la journée. En fait, la clé du succès réside dans la consommation régulière des aliments riches en calcium, en fer, en protéines et en vitamines, c'est-à-dire les aliments capables de fabriquer un bébé en santé et de maintenir les réserves maternelles.

Nausées et brûlements...

Le ralentissement du travail digestif, une production plus grande d'hormones et tout le reste de la réorganisation maternelle favorisent l'installation du foetus, mais nuisent au bien-être interne de la femme enceinte! Les nausées et les brûlements d'estomac font donc partie des problèmes de parcours chez un très fort pourcentage de futures mamans.

Les solutions miracles et permanentes se font rares; il existe par contre certains trucs susceptibles de neutraliser temporairement les nausées et les brûlements:
• manger quelques biscuits soda ou craquelins au réveil, avant de se lever;

- se lever lentement pour éviter les mouvements brusques et les secousses intérieures;
- ne pas boire aux repas; boire entre les repas seulement, soit environ 30 minutes après avoir mangé des solides;
- manger cinq ou six petits repas par jour au lieu de trois gros repas et ne pas passer plus de deux heures et demie à trois heures sans manger une collation «solide»;
- éviter les aliments problèmes comme les fritures, le café et l'alcool.

Dans la plupart des cas, ces problèmes de parcours disparaissent avant d'atteindre la deuxième moitié de la grossesse.

Suppléments obligatoires?

Une femme enceinte bien nourrie n'a «en principe» pas besoin de suppléments de vitamines ni de minéraux mais, règle générale, on lui en prescrit beaucoup. Dans la «Politique québécoise en matière de nutrition»[9], on recommande à toutes les femmes enceintes un supplément de fer et d'acide folique pour, essentiellement, remédier à l'alimentation boiteuse de plusieurs.

Dans l'étude montréalaise sur les habitudes alimentaires des femmes enceintes citée précédemment[7], on déplore la prescription généralisée de quantités «exagérées» de fer et de vitamine C, mais on reconnaît la nécessité, pour un certain nombre de femmes mal nourries, d'avoir recours à divers suppléments. Les suppléments de vitamine D et de calcium sont jugés particulièrement importants lorsque la consommation de lait et de produits laitiers est faible.

Idéalement, l'équipe médicale devrait pouvoir évaluer le menu prénatal de la femme enceinte avant de lui prescrire un supplément... En pratique, le médecin traitant a le dernier mot.

Le sel, permis ou défendu?

On parle plus souvent d'éliminer le sel, longtemps considéré comme l'ennemi juré de la femme enceinte, que de faire des additions nutritives au menu de celle-ci[17]. De nombreuses études révèlent par ailleurs que la femme enceinte perd de plus grandes quantités de sel et que ses besoins sont même légèrement plus élevés qu'en temps normal[5].

Une diminution importante du sel dans le menu entraîne, par mécanisme de défense, une rétention d'eau dans les tissus, soit l'effet contraire de celui qu'on escomptait. On prive du même coup la femme enceinte d'une source importante d'iode, le sel de table. Obligatoirement enrichi d'iode au Canada, faute d'aliments courants riches en iode, le sel iodé travaille au bon fonctionnement de la glande thyroïde, et on ne peut s'en passer, surtout pas au moment de la grossesse.

Sans donner carte blanche à la salière ni aux aliments très salés (viandes fumées, cubes de bouillon et soupes en sachets, sauce soya et c[ie]) la femme enceinte peut assaisonner ses aliments avec modération et sans crainte.

Une certaine rétention d'eau tout à fait normale à la fin de la grossesse ne devrait pas être traitée avec des diurétiques, à moins de circonstances médicales spéciales[10].

L'alcool, un luxe risqué

L'alcool n'a pas sa place dans le menu prénatal, car il peut causer des torts irréparables au foetus. Durant les tous premiers mois, une consommation de deux à quatre onces (60 à 120cc) d'alcool, genre gin ou whisky, peut modifier la croissance et provoquer des déficiences physiques et mentales chez un foetus sur dix, disent les chercheurs. Lorsque la consommation dépasse les quatres onces par jour, le taux d'enfants déficients augmente proportionnellement et dangereusement[11].

Si l'on tient compte de la gravité des séquelles et de la difficulté à quantifier une dose quotidienne sans risque, il semble imprudent à l'heure actuelle de recommander une consommation quotidienne d'alcool, même modérée.

La saccharine: à éviter

Comme il a été démontré que la saccharine est un agent cancérigène chez les animaux, on présume qu'elle est également dangereuse pour l'homme. Pour cette raison, le comité canadien d'experts sur la question, nommé par le ministre de la Santé nationale au printemps 1977, déconseille fortement aux femmes enceintes et nourrices d'ingérer de la saccharine, sous quelque forme que ce soit.

Au Canada, le retrait de la saccharine des boissons gazeuses, des aliments diététiques, des médicaments, des pâtes dentifrices et des produits de beauté, échelonné d'octobre 1977 à décembre 1979, laisse peu «d'occasions prochaines» au consommateur[15]. Seule la saccharine vendue en pharmacie comme substitut du sucre est maintenant disponible et doit être évitée par la femme enceinte ou la nourrice.

D'autres habitudes contestées...

Des chercheurs belges ont récemment constaté qu'une consommation importante de café (plus de 8 tasses par jour) était associée à des taux plus élevés de fausses couches et d'accouchements prématurés, suite à des observations faites auprès de 190 femmes enceintes[13]. Une consommation modérée... (l'abstention même) de café et d'aliments riches en caféine (coca-cola, thé, cacao) semble alors souhaitable pendant la grossesse[19].

D'autre part, lorsque 20 cigarettes et plus s'ajoutent au menu prénatal, le poids du bébé à la naissance est plus faible que celui du bébé de mère non fumeuse.

En France, à l'occasion d'une vaste campagne sur la nutrition tenue en 1977, le Comité français d'éducation pour la santé soulignait aussi les dangers que court l'enfant si la femme enceinte consomme tabac, alcool ou médicaments sans prescription médicale[14].

La prudence est de rigueur!

Les mises en garde des pages précédentes ne font que mettre en relief la fragilité et la vulnérabilité du foetus face aux extravagances maternelles!

Le placenta, «cantine mobile» du foetus, n'a malheureusement pas de système de sécurité pouvant détourner les substances suspectes; sa membrane est aussi perméable aux éléments potentiellement toxiques qu'aux aliments essentiels. Bien approvisionné, il sert un menu de première qualité; mal approvisionné, la qualité du menu diminue, et le développement du bébé s'en ressent.

Une mère avertie en vaut deux!

Bibliographie

Chapitre III — Le menu prénatal

1. «Influence des politiques gouvernementales sur la santé maternelle»,
    Blanchet, M.; Congrès de l'Ass. des gynécologues-obstétriciens du Québec, octobre 1978

2. «Nutritional Status and the Outcome of Pregnancy»,
    Higgins, A.; *Journal of the Canadian Dietetic Association,* vol. 37, n⁰ 1, 1976

3. «WIC Studies Aided Child Nutrition Bill», Community Nutrition Institute Weekly Report VIII, n⁰ 47, 30 nov. 1978

4. *Maternal Nutrition and the Course of Pregnancy,* Committee on maternal nutrition, National Research Council, Washington, 1970

5. «What's new in maternal nutrition?»,
    Pitkin, R.;*P utrition News,* Vol. 42, n⁰ 2, avril-mai 1979

6. «Nutrition des femmes enceintes; les habitudes alimentaires durant la grossesse et leur changement»,
    Vobecky, J.S. et Vobecky, J.; *L'union médicale du Canada,* tome 104, août 1978

7. «Évaluation de la diète et habitudes alimentaires de la femme enceinte»,
   Villalon, L. et Brault-Dubuc, M.; *Journal of the Canadian Dietetic Association,* Vol. 39, nº 4, octobre 1978

8. Apports nutritionnels recommandés pour les Canadiens; Santé et Bien-être social Canada, 1983.

9. *Une politique québécoise en matière de nutrition,* ministère des Affaires sociales, Québec, mai 1977
   Document 77-E-425

10. *Nutrition pendant la grossesse,*
    Médina, D. et Nguyen, T.M.N.; D.S.C., Cité de la Santé, Laval, février 1978 (Document disponible à la Corporation professionnelle des diététistes du Québec)

11. «Moderate drinking may damage unborn babies»,
    Chernoff, G.F.; V^e conférence internationale sur les déficiences mentales à Montréal, août 1977

12. «Drinking by mothers-to-be — a discussion for public health professionals», *O.N.E. Newsletter,* Vol. 1, nº 1, juillet 1979

13. «Caffeine's role in birth defects», *Nutrition Action,* octobre 1978

14. *L'alimentation de la femme enceinte,* Campagne 1977 sur la nutrition, Dossier nº 3, Comité français d'éducation pour la santé, France, 1977

15. *Restrictions de l'usage de la saccharine dans les médicaments,* Communiqué 123, Santé et Bien-être social, Ottawa, 9 août 1977

16. *Usage de la saccharine dans les médicaments, dans les cosmétiques et dans les édulcorants de table,* Lettre de renseignements nº 518, Direction générale de la protection de la santé, 18 janvier 1978

17. «Nutritional care in pregnancy: the patient's view»,
Orr, R. et Simmons, J.J.; *Journal of the American Dietetic Association,* Vol. 75, août 1979

18. «Le fer, problème d'absorption, problème de carence»,
Brault-Dubuc, M.; *le Médecin du Québec,* vol. 14, no 4, avril 1979

19. «Nutrition update, 1978»,
Weininger, J. et Briggs, G.; *Journal of Nutrition Education,* Vol. 10, no 4, oct. - déc. 1978

20. *Dis, maman, qu'est-ce qu'on mange?* Bureau laitier du Canada, octobre 1979

21. «Nutritional needs of the pregnant and lactating mother»,
Beaton, G.H.; The mother-child dyad nutritional aspects, Symposia of the Swedish nutrition Foundation XIV, Almquist & Wiksell International, Stockholm, 1979

Chapitre IV
Un super-aliment pour bébé

Le lait maternel est sans l'ombre d'un doute l'aliment le plus merveilleusement adapté aux besoins du nouveau-né. Unique en son genre depuis la nuit des temps, on le recommande à tous les bébés de la planète Terre! Malheureusement, quelques générations de parents en ont effacé la tradition, l'habitude et le sens.

Depuis environ dix ans, une foule d'études sur le lait de femme et de différents mammifères, effectuées dans le monde entier, nous permettent enfin de redécouvrir cet aliment vraiment extraordinaire, temporairement délaissé par les humains.

Un lait cuisiné pour l'espèce

Il est absolument fascinant de comparer les principaux éléments des laits de différents mammifères[1]; ce faisant, on se rend compte à quel point la nature fait bien les choses.

• On remarque que le contenu en «protéines» des différents laits varie selon le rythme normal de croissance de chaque espèce. Plus il y a de protéines dans un lait, plus l'espèce grandit rapidement. Le cheval, par exemple, boit un lait à 2% de protéines et double son poids à la naissance en 60 jours tandis que le lapin, nourri d'un lait six fois plus riche en protéines (10 à 13%), double son poids en 6 jours! Avec le lait de vache à 3,4% de protéines, le veau double son poids en 50 jours tandis que le lait de femme à 1% de protéines permet au bébé de doubler son poids en plus de 100 jours, soit au cours du quatrième ou du cinquième mois.

- La quantité de «protéines et d'éléments minéraux» contenus dans le lait influence aussi le nombre de tétées nécessaires en l'espace de 24 heures. Plus le lait est concentré, plus l'intervalle entre chaque tétée peut être long: le lait de lapine, très concentré, n'oblige qu'à une seule tétée par jour tandis que le lait humain, peu concentré, en requiert plusieurs dans une journée; la souris, qui produit un des laits les plus dilués, consacre 80% de sa journée et de sa nuit à nourrir ses souriceaux!

- Le contenu en «gras» des différents laits semble relié à la grosseur de l'animal et à la température ambiante de l'habitat naturel de l'animal en question. Plus l'animal est gros et plus il fait froid dans son environnement, plus le lait est gras: ainsi, le lait d'orignal renferme 10% de gras; le lait d'éléphant, 20%; le lait de phoque, 43% et celui de la baleine bleue, 50%.

- La teneur en «sucre» des laits varie en fonction du développement du cerveau après la naissance; bien entendu, la lait humain vient en tête et contient plus de sucre ou de lactose que tous les autres laits de mammifères.

La nature pense à tout

- Le kangourou, qui trimballe dans sa poche deux petits d'âges différents en même temps, produit deux types de lait: le dernier-né tète un lait concentré et lorsque l'aîné, déjà sur pied, se réfugie dans la poche maternelle, il tète une autre mamelle et reçoit un lait dilué selon ses besoins!

- Le singe hokkaïdo donne naissance au printemps et nourrit son petit tout l'été; l'automne venu, il laisse son bébé faire ses propres provisions d'aliments et refait lui-même ses forces. Lorsque la neige apparaît et que les aliments se font rares, le jeune singe revient au lait maternel, le temps d'une saison...

Avantages pour le bébé

Confortablement installé dans le ventre de sa maman jusqu'à l'accouchement, bien au chaud et bien nourri sans grand effort, le nourrisson, une fois citoyen du monde, n'a plus une vie aussi simple. Il doit prendre en charge plusieurs fonctions: respirer, se maintenir à la bonne température, travailler pour se nourrir et digérer, lutter contre les infections... C'est pourquoi la transition entre la vie foetale et la vie au grand jour implique non seulement une bonne alimentation, mais tout un climat de chaleur et de tendresse.

Le lait maternel répond globalement aux besoins du nourrisson; il respecte ses moindres besoins nutritifs, lui procure une protection immunologique incomparable et lui permet de nombreux échanges d'amour et de chaleur.

A. UN ALIMENT MERVEILLEUSEMENT ADAPTÉ

Si l'on décompose le lait maternel en ses principaux éléments nutritifs et si on les compare à ceux d'autres laits, on constate sans peine la supériorité du lait de femme pour l'enfant de l'homme...

- Les *protéines* du lait maternel sont beaucoup plus faciles à digérer que les protéines contenues dans le lait de vache ou dans les formules de lait; une fois dans l'estomac, elles se coagulent en petits flocons facilement décomposables et sont bien utilisées par le bébé, contrairement aux flocons plus durs et plus gros du lait de vache. Destinées à l'espèce humaine et dosées en conséquence, ces protéines de qualité différente sont sans aucun doute mieux adaptées aux besoins du nouveau-né[2].

- Les *matières grasses* du lait maternel constituent non seulement une importante source de calories et de satiété pour le bébé, mais elles contribuent grandement au développement du cerveau[3]. On a longtemps associé les protéines à ce rôle, mais aujourd'hui on reconnaît la grande participation des acides gras, essentiels au développement du cerveau puisque 60% de la matière solide du cerveau sont composés de ces matières grasses transformées. D'autre part, au cours des premiers mois après la naissance, 20% des cellules du cerveau continuent de se diviser (ou de se multiplier...); le lait maternel, renfermant sept à huit fois plus d'acides gras essentiels que le lait de vache entier, apporte une contribution non négligeable.
  Il faut noter que le lait maternel ne déverse pas ces matières grasses en un flot continu: moins abondantes au début d'une tétée, elles deviennent plus concentrées dans les dernières minutes de tétée d'un sein. Ce phénomène unique semble favoriser le contrôle de l'appétit du bébé nourri au sein[4].

- Le *lactose* (sucre naturellement contenu dans tous les laits) est présent en plus grande quantité dans le lait maternel que dans tous les autres laits de mammifères. Et pour cause!... Une fois partiellement transformé en galactose, le lactose participe activement au développement du système nerveux et à la croissance du cerveau; il favorise aussi l'absorption du calcium.

- Le *fer* contenu dans le lait maternel a été longtemps considéré insuffisant et négligeable. On sait maintenant qu'il est très bien utilisé par le bébé grâce à la forte présence de lactose et de vitamine C et à la faible dose de phosphore et de protéines dans le lait humain. On remarque d'ailleurs que les bébés nourris au sein souffrent rarement d'anémie comparativement aux bébés nourris au lait de vache ou aux formules de lait modifié pour bébé[5]. Ces dernières observations, appuyées en 1978 par la prise de position de la Société canadienne de pédiatrie et de l'American Academy of Pediatrics, confirment l'action importante du fer dans le lait maternel. On avance même que ce fer répond entièrement aux besoins du bébé né à terme, de poids normal, jusqu'à l'âge de six mois ou jusqu'à l'introduction des solides[24].

- En ce qui concerne d'autres éléments minéraux, on retrouve trois fois moins de *calcium* et six fois moins de *phosphore* dans le lait maternel que dans le lait de vache; ces derniers éléments sont par contre mieux absorbés et ne surchargent pas le système rénal du bébé; de plus, ils accomplissent un bon travail du côté de la croissance et du développement des os et des dents.

- Quant au *zinc,* il est présent en très grande quantité dans le colostrum, c'est-à-dire le lait sécrété les premiers jours après la naissance. Même si la concentration diminue par la suite, le bébé utilise beaucoup mieux le zinc du lait humain que celui qu'on ajoute maintenant aux formules. On se demande même, à l'heure actuelle, quelle quantité ajouter à ces formules pour vraiment rivaliser avec le contenu du lait maternel[7].

- Il y a trois fois moins de *sodium* et de *potassium* dans le lait maternel que dans le lait de vache, ce qui respecte beaucoup mieux les besoins du bébé et son système rénal encore inachevé. Les formules de lait modifié pour bébé renferment des quantités équivalentes à celles du lait maternel.

- Il n'y a pas beaucoup de vitamine D dans le lait maternel mais on a cru pendant un certain temps qu'elle s'y trouvait sous une nouvelle forme dans la partie soluble du lait. Des analyses effectuées aux États-Unis depuis 1980 démentent ces avancés et révèlent que la quantité présente ne peut prévenir le rachitisme chez tous les bébés allaités. Il est donc sage de

donner un supplément de vitamine D au bébé allaité.
8, 25, 31, 32, 33.

- La *vitamine C* contenue dans le lait maternel varie légèrement selon le menu maternel, mais elle est aussi partiellement fabriquée sur place... par les glandes mammaires[1]; elle satisfait complètement les besoins du nourrisson.

- Les *vitamines A* et du *complexe B* sont présentes en quantité suffisante dans le lait maternel aussi bien que dans le lait de vache et les formules de lait.

Le lait maternel a un dossier nutritif qui n'a pas fini de nous émerveiller.

Le bébé nourri au lait maternel n'a pas besoin d'eau supplémentaire puisque ses réserves d'eau sont largement suffisantes après la consommation normale de lait maternel, et ceci même par temps chaud et humide[9].

Le lait d'une mère ayant accouché d'un prématuré contient plus de protéines que celui d'une mère ayant accouché à terme, ce qui satisfait les besoins accrus en protéines du prématuré[10]; ce lait ne renferme toutefois pas tous les éléments nutritifs en quantité adéquate pour combler les immenses besoins du prématuré de poids très faible[26], mais il demeure mieux adapté au prématuré que toute autre formule de lait pour bébé[27-28].

Heureux effets...

Les nombreux atouts nutritifs du lait maternel se répercutent sur l'état général du nourrisson et ne laissent indifférent aucun professionnel de la santé[11].

Dans la région des Cantons de l'Est, on a vérifié certains effets du lait maternel sur l'état de santé de 556 enfants en prélevant un peu de sang de bébés nourris au sein et de bébés nourris au biberon; on a constaté qu'à six mois et à un an, les bébés nourris au lait maternel ont un sang plus riche en acide folique et en vitamines A, E et C que les autres bébés. Une autre enquête, menée[12] auprès de bébés de moins de six mois, a révélé que les bébés nourris au sein avaient un meilleur poids pour leur âge et un meilleur développement que les bébés nourris au biberon.

Les effets bénéfiques du lait maternel ne se mesurent pas tous, mais ils sont innombrables.

8. Dossier nutritif du lait maternel

Éléments nutritifs	Actions particulières
protéines	— moins nombreuses que dans le lait de vache — de qualité différente, mieux adaptées au bébé — plus faciles à digérer
matières grasses	— 7 à 8 fois plus d'acides gras essentiels que dans le lait de vache — aident au maximum au développement du cerveau — plus concentrées dans les dernières minutes de tétée, ce qui favorise un contrôle de l'appétit du bébé
lactose ou sucre	— plus grande quantité que dans le lait de vache — participe au développement du cerveau — exerce une action anti-diurétique bénéfique pour la mère — favorise avec le facteur bifidus la croissance d'une flore intestinale résistante à l'infection
fer	— 5 fois mieux absorbé que dans le lait de vache — en quantité suffisante dans le lait maternel — lutte également contre les bactéries

calcium et phosphore	— moins grande quantité que dans le lait de vache — quantité suffisante — bien absorbés
sodium et potassium	— 3 fois moins que dans le lait de vache — respectent mieux besoins et reins du bébé
zinc	— grande quantité dans le colostrum — quantité bien absorbée dans le lait maternel
vitamine D	— petite quantité, un supplément de vitamine D est recommandé pour tous les bébés nourris au sein.
vitamine C	— quantité suffisante
vitamines A et B	— quantité suffisante
vitamine E	— 4 fois plus que dans le lait de vache — bonne proportion avec les acides gras essentiels.

B. UNE PROTECTION CONTRE LES INFECTIONS ET LES ALLERGIES

Depuis de nombreuses années, on remarque, autant dans les pays industrialisés que dans les pays du Tiers-Monde, que les bébés nourris au sein sont moins vulnérables aux infections de toutes sortes que les bébés nourris au biberon. On comprend maintenant cette meilleure résistance du bébé allaité.

À la naissance, le nourrisson a un système immunologique encore inachevé; il est pratiquement sans défense contre l'environnement hostile... C'est alors que le lait maternel met à sa disposition, sans frais supplémentaires, tout un arsenal d'agents protecteurs; cette transmission s'effectue particulièrement au cours des premiers jours après la naissance, par l'intermédiaire du colostrum. Chacune des substances sécrétées dans le colostrum et le lait maternel joue un rôle précis d'auto-défense.

• les immunoglobulines

Trois immunoglobulines (ou anticorps) sont présentes dans le lait maternel; deux sont nettement plus actives et sont fabriquées en grande partie par les glandes mammaires elles-mêmes pour répondre aux besoins du nourrisson. Réfractaires à l'action des substances digestives et à l'acidité de l'estomac, elles tapissent l'intestin d'une matière antiseptique et aident le bébé à lutter contre les bactéries pathogènes, y compris le virus de la polio[1, 13, 14].

• le facteur bifidus

Agent protecteur 40 fois plus présent dans le colostrum des premiers jours que dans le lait maternel de quelques semaines, le facteur bifidus favorise la formation d'une flore intestinale résistante aux infections et limite par le fait même la multiplication des bactéries indésirables. La flore intestinale du bébé nourri au lait maternel est donc très différente de celle du bébé nourri à la formule, et les infections intestinales sont quasi inexistantes dans le premier groupe.

Plusieurs autres substances agissent également dans le lait maternel pour compléter le système de défense du nouveau-né.

• des propriétés anti-allergiques

On observe un taux plus élevé d'allergies infantiles dans les pays où le taux d'allaitement est bas et un taux plus faible chez les populations de bébés allaités.

Aux États-Unis, il y a déjà plusieurs années, une étude a relevé une fréquence sept fois plus élevée d'eczéma et de problèmes allergiques chez les bébés nourris au biberon que chez les bébés allaités[15].

En fait, le phénomène s'explique par la faible résistance de la paroi intestinale du jeune bébé face à des protéines étrangères à l'espèce; le lait maternel, en revanche, ne fournit que des protéines de l'espèce humaine et n'occasionne aucune réaction allergique*. Certains médecins ont réussi à réduire les problèmes d'allergies chez les nourrissons de 40% à 7% en donnant exclusivement du lait maternel pendant six mois, tout en éloignant chien, chat et poussière de l'environnement immédiat[16]. C'est pourquoi le lait maternel est universellement reconnu comme le meilleur moyen de prévenir les allergies pendant la petite enfance, tout spécialement chez les bébés de familles ayant des problèmes reliés aux allergies.

Note: Il peut arriver qu'un bébé nourri exclusivement au lait maternel ait des coliques ou même une irritation de la peau. Dans le premier cas, il semble que les *protéines du lait de vache* bu par la maman soient partiellement transmises au bébé par le lait maternel et que lorsque la mère adopte un menu sans lait de vache ni viande bovine, le bébé soit soulagé de ces coliques; on recommande aux mères, dans ce cas particulier, de boire une formule à base de soya (Isomil, Prosobee) pour contourner le problème jusqu'à ce que le bébé puisse tolérer les protéines du lait de vache, soit vers l'âge de six mois[29]. Une consultation diététique permet de réajuster le menu maternel en conséquence.

Dans le deuxième cas, le bébé de quelques mois qui soudainement souffre d'une dermatite (grave irritation de la peau) peut ne pas recevoir suffisamment de *zinc* par l'intermédiaire du lait maternel car le contenu en zinc du lait maternel peut varier énormément d'une mère à l'autre. On remédie au problème en ajoutant au menu maternel des aliments très riches en zinc, comme les huîtres, (fraîches, congelées ou en conserve), du foie ou du germe de blé et on applique sur la peau du bébé une crème à base de zinc[30].

C. UNE SOURCE DE CONTACTS PRIVILÉGIÉS

Le lait maternel ne transmet pas seulement au bébé un aliment merveilleusement adapté à ses besoins et un système de défense anti-infections et anti-allergies; il favorise l'éclosion d'une relation unique entre la mère et son enfant.

Depuis déjà plusieurs années, la médecine, en plus de travailler à sauver des vies et à assurer une croissance physique moyenne, veut favoriser le développement global du jeune enfant. À cette fin, de nombreux médecins, parmi lesquels les célèbres Marshall Klaus et John Kennel, observent la genèse des occasions d'interaction entre le nouveau-né et ses parents.

Frappés par l'incidence toujours plus élevée d'enfants délaissés ou malmenés et par la croissance plus lente d'enfants séparés des parents au cours des premiers mois de vie, ces médecins ont cherché une cause commune à un tel état de fait[17]. Au cours de leurs recherches, ils ont décelé un lien direct entre l'absence de contacts physiques mère-enfant durant les premiers jours de vie et la fréquence plus élevée de problèmes de toutes sortes.

Moins souvent la mère prend l'enfant dans ses bras, moins il y a d'échanges de regards et de chaleur entre les deux, plus il y a de problèmes de développement et de santé chez l'enfant.

Les minutes et les jours qui suivent l'accouchement semblent constituer la période clé pour initier et sceller la relation mère-enfant. L'allaitement maternel, immédiatement après l'accouchement ou dans les quelques heures qui suivent, permet d'établir ce contact physique. Toute la période d'allaitement renforce cette relation unique.

On peut sans aucun doute établir une relation mère-enfant heureuse sans allaiter son enfant, mais l'allaitement maternel ne demeure-t-il pas le véhicule de choix?

Avantages pour la maman

Le bébé est sans contredit le grand bénéficiaire de l'allaitement maternel, et cela va de soi, mais la maman elle aussi en retire des dividendes qu'on ne doit pas garder sous silence. Avant d'en dresser une liste, je ne peux résister à l'envie de vous transmettre le message de madame Thomas, infirmière sexagénaire de Iowa City, assistante du docteur Fomon, travaillant auprès des jeunes mamans nourrices de la région. Cette chère madame Thomas n'hésite pas à répéter que le lait maternel n'a pas de défaut:

«Il est toujours à la bonne température;

«Il s'apporte facilement en pique-nique;

«Il n'attire pas les chats;

«Il se conserve dans de si jolis contenants!...»

Humour en tête... amour plein le coeur, la maman doit aussi connaître les réels bénéfices de l'allaitement maternel pour elle-même.

A. SOURCE D'ÉCHANGES GRATIFIANTS

On a longtemps minimisé ou simplement ignoré les réactions du nouveau-né au cours des premiers jours et des premiers mois de vie. De récentes études ont dévoilé le mystère des premières heures de vie et reconnaissent le grand éveil du bébé pendant l'heure qui suit sa naissance. Le bébé fraîchement né suit les regards humains, réagit à la voix humaine; il est «prêt» à téter le lait maternel; loin d'être passif, il inter-agit avec sa maman et participe à l'éclosion d'une relation privilégiée.

Une première tétée peu après la naissance, lorsque le réflexe de succion du bébé est à son maximum, a pour effets de contracter l'utérus de la maman, de diminuer les risques d'hémorragies et de stimuler à coup sûr la production et la sécrétion de lait; cette tétée précoce semble même associée à une période d'allaitement plus longue et plus heureuse[17] [18]. C'est ainsi que plusieurs études effectuées auprès de nouvelles mamans en Suède, aux États-Unis et au

Brésil, arrivent à la conclusion qu'un contact physique mère-enfant juste après la naissance favorise une période d'allaitement beaucoup plus longue que lorsqu'il n'y a pas eu ce contact préliminaire.

Certes, l'allaitement maternel n'est pas le seul moyen d'établir cette relation unique, mais il constitue une étape si naturelle dans tout le processus tout en favorisant un ajustement plus rapide entre le rythme maternel et celui de l'enfant, une meilleure synchronisation de ces deux êtres!

B. ÉCONOMIE DE TEMPS ET DE SOUS

L'allaitement maternel simplifie l'organisation de la journée de la nouvelle maman et lui épargne bien des sous; il soustrait à l'horaire quotidien: l'achat de la formule de lait, la préparation des biberons, la percée des tétines, le lavage des contenants, et j'en passe. Il sous-entend une alimentation saine et généreuse pour la maman (voir chapitre VI), mais le prix des aliments supplémentaires exigés durant la période de lactation se situe bien en deçà du coût d'achat des formules de lait pour bébé (voir tableau ci-après).

---

9. Coût quotidien des différents laits pour bébé

Comparaison du coût de 852 mL (30 oz) de lait pour bébé par jour

Prix: été 1979

A. Lait maternel, (menu à prix modéré)	0.59
B. Formule en poudre (454 g) (Enfalac, Similac, SMA)	0.84
C. Formule en poudre (454 g) avec fer (Similac)	0.87

D. Formule liquide concentré (425 mL)   0.95
   avec/sans fer (Similac)

E. Formule liquide prêt-à-servir, avec/sans fer
   (Enfalac, Similac)   945 mL $1.50

F.   425 mL $1.76

G.   235 mL $1.92

C. PERTE PLUS RAPIDE DE POIDS
APRÈS LA GROSSESSE

Pendant la grossesse, on considère une partie du gain de poids, soit environ 2 kg, comme une réserve d'énergie maternelle en vue de l'allaitement. Ces kilos supplémentaires sont importants puisqu'ils servent à la production de lait maternel tout en épargnant les réserves vitales de la mère; ils sont donc utilisés au cours de l'allaitement et se perdent plus rapidement lorsque la mère allaite. On a en effet noté qu'au bout de trois mois, un groupe de mères nourrices avaient perdu en moyenne 1 kg de plus (2,2 livres) que les autres mères observées[19].

La vogue de l'allaitement maternel

○ au Québec

En 1974, lors de la préparation de la première version de cet ouvrage[20], une enquête menée dans tout le Québec révélait qu'une Québécoise sur cinq (20%) allaitait son bébé lors du séjour à l'hôpital, 26 des 64 hôpitaux de 100 lits et plus ayant alors répondu au sondage.

A l'automne 1978, une deuxième cueillette d'informations faite auprès des mêmes 26 hôpitaux indique un taux d'allaitement deux fois plus important! Deux Québécoises sur cinq (40%) allaitent alors leur bébé pendant leur séjour à l'hôpital (voir tableau ci-après).

10. Tableau comparatif: Allaitement au Québec 1973-1978

	HÔPITAL	1973	1978
1.	Hôtel-Dieu, Rivière-du-Loup	13,7%	pas de réponse
2.	Hôp. Maisonneuve-Rosemont, Montréal	26 à 30%	44%
3.	Centre Hospitalier St-Vincent de-Paul, Sherbrooke	15%	37%
4.	Hôp. Notre-Dame-de-Fatima, La Pocatière	18%	31%
5.	Hôp. Ste-Justine, Montréal	30 à 40%	45 à 50%
6.	Hôp. du Haut-Richelieu, St-Jean	16%	33%
7.	Hôp. Honoré-Mercier, St-Hyacinthe	15%	30 à 35%
8.	Hôp. St-Sacrement, Québec	14,4%	44%
9.	Hôp. général du Christ-Roi, Verdun	5%	pas de réponse
10	Hôp. St-Joseph, Lac Mégantic	3,2%	35%
11.	St. Mary's Hosp., Montréal	40 à 45%	76,6%
12.	Hôtel-Dieu, Québec	19,3%	dép. d'obstétrique fermé
13.	Hôp. Jean-Talon, Montréal	9,2%	dép. d'obstétrique fermé
14.	Hôp. St-Joseph, Rimouski	10%	32,6%
15.	Lachine General Hosp., Lachine	25%	55%
16.	Jewish Gen. Hosp., Montréal	37,5%	50% approx.
17.	Montreal Gen. Hosp., Montréal	39,5%	66%

18.	Royal Victoria Hosp., Montréal	50 à 75%	50%
19.	Hôp. du Très-Saint-Rédempteur, Matane	10%	23%
20.	Hôtel-Dieu, Sorel	10%	60%
21.	Hôp. gén. de la Région de l'amiante, Thet.-Mines	14,2%	22%
22.	Hôp. St-Luc, Montréal	20%	31%
23.	Hôp. du Sacré-Coeur, Montréal	20%	37,74%
24.	Hôp. N.-D.-de-Chartres, cté Bonaventure	0,6%	23,4%
25.	Hôp. St-Ambroise, Loretteville	13,8%	pas de réponse
26.	Hôp. d'Amqui, Amqui, cté Matapédia	10,6%	17,6%

Le mouvement est maintenant répandu à l'extérieur des grands centres urbains: à Sorel, il y a actuellement six fois plus de mères nourrices qu'il y a cinq ans; à Rimouski, trois fois plus; à Matane, deux fois plus; dans le comté de Bonaventure, 20 fois plus.

Cette remontée impressionnante de l'allaitement maternel reflète, d'une part, la volonté des nouvelles mamans de donner à leur enfant ce qu'il y a de mieux et, d'autre part, l'excellent travail effectué dans tous les coins de la Province par les équipes multidisciplinaires des centres de santé communautaire.

Dans sa «Politique québécoise en matière de nutrition[21],» le ministère des Affaires sociales du Québec souhaitait voir doubler le taux d'allaitement maternel d'ici dix ans. Face à la tendance actuelle, on peut même souhaiter doubler l'objectif!

○ **en France**

Une enquête a été effectuée en 1976 sur l'ensemble du territoire français auprès des médecins des maternités et auprès des 1 000 mères ayant accouché dans les 24 mois précédents[22]. Les résultats obtenus indiquent clairement une augmentation de l'allaitement maternel en France entre les années 72 et 76; cette dernière année, 48% des mères allaitaient leur bébé lors du séjour en maternité.

○ **aux États-Unis et ailleurs...**

En 1966, 18% des Américaines allaitent leur bébé à la sortie de l'hôpital tandis que 30% le font en 1973; en Angleterre, on déclare un taux d'allaitement, à la sortie de l'hôpital, d'environ 51%[23], soit, là aussi, une récente augmentation.

Ces chiffres parlent beaucoup et soulignent un retour important de l'allaitement maternel dans plusieurs pays industrialisés. La mode est lancée!

Malgré ce mouvement, un grand nombre de mères optent pour le biberon de lait modifié. Ces dernières sont-elles suffisamment renseignées pour faire un choix libre, mais éclairé?

Bibliographie

Chapitre IV — Un super-aliment pour bébé
1. *Human milk in the modern world,*
   Jelliffe, D.B. et Jelliffe, E.F.P.;
   Oxford University Press, 1978
2. «Proprietary milks versus human breast milk. A critical approach from the nutritional point of view»,
   Hambraeus, L., *Pediat. Clins. N. Amer.* 24, 17, 1977
3. «Milk lipids and their variability»,
   Crawford, M.A. et coll.
   Current Medical Resarch and Opinion,
   Vol. 4, suppl. 1, 1976
4. «Changing composition of human milk and early development of an appetite control»,
   Hall, B.; *The Lancet,* avril 1975, 779-781
5. «Iron absorption in infants: high bio availibility of breast milk iron as indicated by the extrinsic tag

method of iron absorption and by the concentration of serum ferritin»,
Saarinen, U.M., Siimes, M.A. et coll:
The Journal of Pediatrics: 91, 36-39, 1977
6. «Breast feeding: What is left besides the poetry?»,
Pediatrics, vol. 62, n° 4 octobre 1978
7. «Plasma zinc concentrations of breast fed infants»,
Hambidge, K.M. et coll.;
The Journal of Pedriatics,
Vol. 94, n° 4, avril 1979
8. «Vitamin D in human milk»,
Lakdawala, D.R. et Widdowson, E.M.;
The Lancet, 22 janvier 1977
9. «Water requirements of breast-fed infants in a hot climate»,
Almroth, S.G.; Proceedings Western Hemisphere Nutrition Congress V, 1978
10. «Effect of premature birth on total and mineral concentration in human milk»,
Atkinson, S.A. et coll.; Proceedings Western Hemisphere Nutrition Congress V, 1978
11. «Infant feeding practices and health status in the first year of life»,
Vobecky, J.S. et Vobecky et coll.,
Recherche présentée au XIe Congrès international de Nutrition, Rio de Janiero, septembre 1978
12. «Breast feeding and its impact on the infant's health and development»,
Fattah, M. et coll.,
Recherche présentée au XIe Congrès international de Nutrition, Rio de Janeiro, septembre 1978
13. «Immunological aspects of human milk»,
Chandra, R.K.; *Nutrition Reviews,* vol. 36, n° 9, septembre 1978
14. «Immunological aspects of human colostrum and milk I and II»,
Ogra, S.S. and Ogra P.L.; *The Journal of Pediatrics,* vol. 92, n° 4, avril 1978

15. «Breast and artificial feeding,»
Grulee et coll.; *Journal of Amer. Medical Association,*
103, 735, 1934
16. «Effects of environmental modification of atopic disease and IgE levels in infancy»,
Mellon, M. et coll; Paper presented at
American Academy of Allergy Conference, 1976
17. *Maternal-infant bonding,*
Klauss, M.H. et Kennel, J.H.; The Mosby Company, 1976
18. «The mother-newborn relationship, limits of adaptability»,
Lozoff, B. et coll.
The Journal of Pediatrics, vol. 91, n° 1 juillet 1977
19. «Changes in body weight after delivery,» Dennis, J.K.;
Journal Obstet. Gynec., 27, 94, 1971
20. *Comment nourrir son enfant,*
L.L. Lagacé, Éditions de l'Homme, 1974
21. *Une politique québécoise en matière de nutrition;*
ministère des Affaires sociales, Québec, mai 1977
22. *Où en est l'allaitement en France en 1976?*
2 enquêtes de Nestlé-Sopès — DIETINA S.A.,
Numéro de septembre 1976
23. «A survey of infant feeding 1975; Attitudes & practices in U.K. and Wales»; Recherche présentée au XIe Congrès international de Nutrition, Rio de Janeiro, septembre 1978
24. «Diet and iron absorption in the first year of life.»
Nutrition Reviews, Vol. 57, n° 6, juin 1979
25. «Nutrient deficiencies in breast fed infants»,
Fomon, S.F. et Strauss, R.G.;
The New England Journal of Medecine,
Vol. 299, n° 7, 17 août 1978
26. «Nutritional hypophosphatenic rickets in premature infant fed breast milk,»
Rowe J.C. et coll.;
The New England Journal of Medecine,
200, 293 — 296, 1979

27. «Factors affecting human milk composition,» Atkinson, S.A.; *Journal of the Canadian Dietetic Ass.* Vol 40, n° 3, juillet 1979

28. «Current concepts in nutrition: pregnant women and premature infants», King J. et Charlet, S.;
Journal of Nutrition Education,
Vol 10, n° 4, oct-déc- 1978

29. «Cow's milk as a cause of infantile colic in breast fed infants.»
Jakobsson, I. et Lindberg, T. *The Lancet,* 26 août, 1978

30. «Copper, Iron, Zinc contents of mature human milk.»
Picciano, M.F. et Guthrie, H.: *American Journal of Clinical Nutrition,* vol 29, 242, 1976.

31. « Water-soluble Vitamin D in human milk: a myth »
Greer, F.R. et coll.
Pediatrics, vol. 69, no 2, février 1982

32. « Vitamin D in human milk: identification of biologically active forms »
Reeve, L.C. et coll.
American Journal of Clinical, vol 36, no 1, juillet 1982

33. « Human milk feeding and vitamin D supplementation-1981 Finberg, L.
Journal of Pediatrics, vol. 99, no 2, August 1981

Chapitre V
L'art d'allaiter

Même s'il s'agit d'un acte ultra-naturel, l'allaitement est un art qui s'apprend et qui se transmet traditionnellement de génération en génération. Le fil de la tradition ayant été rompu au début du siècle, il y a de cela deux ou trois générations, l'apprentissage se fait aujourd'hui par l'intermédiaire du médecin, des services paramédicaux, des cours prénatals ou, encore, avec l'aide de la ligue La Lèche.

L'allaitement dépend essentiellement du réflexe instinctif du nouveau-né associé à l'instinct maternel, mais tout ce processus doit être encouragé par l'entourage et axé sur une bonne information pour devenir une expérience pleinement «heureuse». En fait, plus de 95% des femmes peuvent allaiter si elle le veulent; malheureusement, certains mythes viennent souvent neutraliser l'élan initial et détournent de nombreux parents de cette aventure potentiellement si enrichissante. Il vaut donc mieux démentir ces mythes avant d'approfondir l'art d'allaiter.

Réponses aux mythes séculaires
Allaiter ne déforme pas les seins

Au cours de la grossesse, les seins augmentent naturellement de volume et peuvent se déformer bien avant la période de l'allaitement si on néglige de porter un bon soutien-gorge ou si la prise de poids pendant la grossesse dépasse les limites raisonnables de 12 à 15 kg. Pendant l'allaitement, on recommande de porter ce bon soutien-gorge 24 heures par jour, au moins durant les tout premiers mois, et il n'y aura pas de problème[1]!

Allaiter ne fait pas grossir

Au contraire!... Certaines études ont démontré que les mères qui allaitent perdent un kilo de plus (2,2 livres) que les autres mères au cours des trois mois après l'accouchement. Bien entendu, les mères qui mangent mal et trop grossissent. L'exercice a aussi son rôle à jouer dans le maintien d'un poids stable; si l'activité physique de la mère qui allaite diminue considérablement, son poids variera en conséquence.

Allaiter n'est pas épuisant

Certes, pendant les quelques jours qui suivent l'accouchement, il faut plusieurs tétées et toute l'attention de la maman, mais, dès la deuxième semaine, le bébé acquiert un meilleur rythme de faim et de sommeil.

Dans notre société où l'aide domestique est quasi inexistante, la jeune maman doit temporairement oublier poussière, petits plats et même téléphones si elle veut conserver ses forces physiques et nerveuses! À condition de bien se nourrir, de diminuer ses activités habituelles au cours des premières semaines et de faire une sieste lorsque le besoin s'en fait sentir, elle s'adaptera rapidement aux exigences de l'allaitement.

Allaiter laisse une certaine liberté à la maman

Quel que soit le lait utilisé, un nouveau-né réclame beaucoup de soins et d'attention au cours des premières semaines. Par contre, lorsque la production de lait maternel est régulière et stabilisée, vers la quatrième ou la cinquième semaine, l'enfant peut recevoir quotidiennement, ou occasionnellement, *un* biberon de lait modifié ou de lait maternel conservé au réfrigérateur ou au congélateur (voir explications plus loin dans ce chapitre). Lorsque le bébé est confié au papa ou à la gardienne, le biberon de dépannage accorde plusieurs heures de liberté à la maman, chaque jour si elle le désire!

Le lait maternel donné dans un biberon dès les premières semaines habitue le bébé à boire à la bouteille et facilite la transition au cours des mois suivants.

La grosseur des seins..., un indice trompeur

Il n'y a aucune relation entre la grosseur initiale des seins et la quantité de lait produit et sécrété par la maman. En réalité, les gros seins cachent une plus grande quantité de gras, mais non une plus grande réserve de lait.

Au cours de la grossesse, le réseau de glandes mammaires de chaque sein augmente sous l'influence d'hormones, et ce sont ces petites usines de lait locales qui deviennent ensuite responsables de la production de lait dans les petits seins comme dans les gros!

L'attitude détendue d'une maman semble avoir beaucoup plus d'influence sur la quantité de lait sécrété que la grosseur des seins.

Le lait maternel ne contient pas trop de cholestérol

Il est vrai que le lait maternel renferme plus de cholestérol que le lait de vache ou que les laits modifiés[8]. Bête noire de l'adulte, vulnérable après 40 ans, le cholestérol a par contre un rôle important à jouer dans le développement du cerveau de l'enfant et de son système nerveux. Le nouveau-né a donc besoin de cholestérol.

À la fin de la première année de vie, après l'adoption du menu familial, on ne décèle aucune différence entre le taux de cholestérol sanguin de bébés nourris aux laits modifiés pendant les six premiers mois et celui de bébés nourris au lait maternel pendant une période semblable[4]. On a de plus vérifié les effets d'une alimentation maternelle plus ou moins riche en cholestérol sur le contenu en cholestérol du lait maternel. Quel que soit le menu de la mère, très riche ou très pauvre en cholestérol, le lait maternel ne change pas et conserve une quantité invariable de cholestérol[5]. La nature sait ce qu'elle fait!

Le lait maternel n'est pas pollué

Il y a quelques années, les média d'information ont fait état de la présence de BPC (biphényls polychlorés) dans le lait maternel des mères canadiennes et américaines. Le ministère de la Santé nationale a reconnu la présence d'une certaine quantité de BPC dans le lait maternel, mais des prélèvements périodiques effectués pour contrôler ces quantités révélèrent que la teneur moyenne de BPC dans le lait maternel prélevé à travers le Canada se situait en deça des normes jugées acceptables et tend à diminuer. Face à une inquiétude justifiée et généralisée, cependant, deux comités d'experts[6,7], l'un canadien, l'autre américain, ont abordé tous les aspects de la question. Compte tenu des renseignements actuellement disponibles, ces deux comités ont conclu que les avantages du lait maternel dépassaient largement les risques occasionnés par une contamination de moins en moins importante de BPC. Une réglementation limite maintenant l'utilisation et l'élimination de ces produits chimiques par l'industrie. On recommande toutefois aux mères nourrices d'éviter la consommation de poissons venant des eaux du St-Laurent et des environs, ces poissons ayant accumulé des doses assez grandes de BPC[17].

Toutes les mères ne peuvent allaiter

Même si plus de 95% des mères sont physiquement capables d'allaiter, une mère qui ne «veut» pas allaiter ne devrait pas le faire. Par ailleurs, il existe un nombre très restreint de contre-indications médicales absolues empêchant une mère d'allaiter[8]. Dans ces cas particuliers, le médecin traitant ou le spécialiste demeure le meilleur conseiller.

Une mère mal nourrie peut quand même allaiter

L'alimentation de la mère n'influe pas sur les principaux éléments nutritifs du lait maternel; seul le volume de lait est diminué dans des cas d'extrême sous-alimentation. Dans les pays en voie de développement où, souvent, l'état de nutrition des mères laisse à désirer, le lait maternel contient au cours des trois premiers mois suffisamment de protéines, de gras, de sucre et de substances immunologiques; par contre, le contenu en vitamines et en minéraux peut être bas si le menu maternel est inadéquat. Malgré ces lacunes, le lait de femmes particulièrement sous-alimentées réussit à assurer la croissance et le développement initial de milliers d'enfants dans le monde entier.

Une décision qui mûrit dans deux têtes

Dans notre société, l'art d'allaiter s'improvise difficilement à la dernière minute, une fois le bébé dans les bras.

Même s'il est quasi impossible de contester la supériorité du lait maternel, la décision d'allaiter implique un temps de réflexion. Elle se médite et mûrit tout au long de la grossesse et même avant; elle se prend à deux, entre conjoints, puis se discute en famille s'il y a d'autres enfants..., car la période d'allaitement modifie passablement les habitudes de la maisonnée au cours des premiers mois.

Il ne faut surtout pas sous-estimer l'approbation ni l'encouragement du conjoint dont l'attitude paternelle compréhensive contribue largement au calme et à la sérénité de la mère; au contraire, une atmosphère tendue ou une attitude contrariée de la part du père agit sur le moral et se répercute sur la production de lait.

Une fois la décision prise, le médecin «modèle» encourage les futurs parents et leur fournit les renseignements nécessaires à la bonne réussite de l'allaitement.

Avant la naissance, le conditionnement physique des seins vient s'ajouter à la préparation psychologique du couple.

Conditionnement des seins avant l'accouchement

Pour faciliter les premières tétées et accroître l'élasticité des mamelons, il est recommandé de préparer soigneusement les seins au cours du dernier trimestre de la grossesse. Quelques minutes par jour suffisent; on doit tout simplement:

1. frictionner les mamelons (bouts des seins) deux fois par jour, quelques minutes seulement avec une serviette de bain rugueuse; ou

2. endurcir le mamelon en l'étirant entre deux doigts, l'index et le pouce: ainsi le mamelon s'allongera plus facilement et assurera un meilleur écoulement de lait après la naissance. (Cette extension du mamelon peut provoquer une légère perte d'un liquide jaunâtre, le colostrum, précurseur du vrai lait maternel; cette perte est tout à fait normale. En lavant le mamelon de la façon indiquée ci-après, il n'y a aucun problème.);

3. laver les mamelons quotidiennement avec de l'eau tiède: cela prévient les irritations et le dessèchement pouvant être causés par les sécrétions;

4. on peut aussi appliquer de la crème à base de lanoline sur les mamelons pour les protéger contre l'irritation et le dessèchement.

Pendant le bref séjour à l'hôpital

- Pendant l'accouchement, éviter dans la mesure du possible le recours aux sédatifs, car ceux-ci diminuent les réflexes du bébé à la naissance;
- dès les premières minutes après l'accouchement, donner le sein au bébé car, pendant cette première heure de vie le réflexe du succion du bébé est à son maximum; cette succion précoce met en branle tout le mécanisme de production de lait maternel;

- cohabiter avec le bébé de préférence pour pouvoir le nourrir sur demande; pendant ces premiers jours d'apprentissage et d'adaptation, les tétées devraient être nombreuses (jusqu'à 10 le premier jour), mais cela aura pour effet de stimuler la production et l'écoulement de lait tout en répondant aux besoins de chaleur et de tendresse du nourrisson;
- choisir avec l'aide de l'infirmière la position la plus confortable et n'allaiter que cinq minutes par sein le premier jour, en donnant les deux seins à chaque tétée et en commençant par le sein tété en dernier lors de la tétée précédente;
- augmenter graduellement la durée de la tétée chaque jour;
- ne jamais interrompre le bébé, lorsqu'il tète activement, dans le but de lui faire passer un gaz; attendre qu'il fasse une pause... afin de lui permettre de rejeter les bulles qu'il a pu avaler.
- ne jamais donner au bébé un biberon de lait modifié ni d'eau sucrée entre deux tétées; cette pratique coupe l'appétit du bébé et dérègle tout le processus encore fragile des montées laiteuses.
- pendant toute la période de lactation, soutenir les seins en choisissant un bon soutien-gorge de nourrice en coton résistant qui ouvre suffisamment pour exposer une grande partie du sein, pas seulement le mamelon; éviter les doublures de matière plastique ou de caoutchouc qui entretiennent trop d'humidité et irritent inutilement les mamelons.

L'art d'allaiter sur demande...

Suite à de nombreux témoignages et à un dialogue avec une monitrice de la ligue La Leche[12], je me suis laissée convaincre de l'importance de l'allaitement sur demande, sans horaire fixe. De prime abord, cet horaire semble exiger une disponibilité maternelle illimitée, mais, au fil des semaines, mère et bébé accèdent à un rythme satisfaisant pour les deux et, lorsqu'on considère les besoins du nouveau-né au cours des premiers jours, on saisit tous les bénéfices d'un tel horaire.

Pendant les premières heures de vie, l'enfant est très éveillé et il découvre «activement» l'univers qui l'entoure; il réagit à cet univers; son réflexe de succion est particulièrement développé dès les premières minutes après l'accouchement. Comme on l'a mentionné précédemment, au cours de ses 24 premières heures, le bébé boit jusqu'à dix petites fois et même plus. La maman qui a la possibilité de répondre aux premiers appétits du bébé en cohabitant avec lui, satisfait son bébé tout en s'aidant elle-même, car ces nombreuses petites tétées inaugurent une bonne montée laiteuse. Maintes études associent une partie du succès de l'allaitement à la première tétée donnée peu de temps après l'accouchement ou dans les quelques heures qui suivent. D'autres observateurs concluent aussi que le bébé pris en charge par la maman dès le premier jour retrouve plus rapidement un biorythme acceptable et distance plus régulièrement les tétées et le sommeil[13].

Le grand éveil des premières heures terminé, le bébé s'endort profondément, et les pleurs plus intenses n'apparaissent que vers le troisième jour. Ce rituel du nouveau-né suppose une grande disponibilité initiale, mais souligne à la fois la nécessité d'abandonner l'horaire fixe des tétées aux trois ou quatre heures, pendant ces jours clés.

Graduellement, le bébé devient apte à ingurgiter de plus grandes quantités de lait à la fois, et son travail digestif se prolonge en conséquence; au bout de quelques semaines, il acquiert normalement une certaine régularité et peut facilement attendre de trois à quatre heures entre deux tétées. Il arrive aussi à pouvoir dormir six heures d'affilée, une fois par 24 heures... Bienheureux les parents du bébé qui choisit la nuit pour cette sieste prolongée!

Comme tout le processus de l'allaitement maternel joue autour d'une interaction «mère-enfant», les deux finissent au bout de quelques semaines par adopter un modus vivendi satisfaisant, sans horaire rigide.

Une seule petite mise en garde face à l'allaitement sur demande: l'interprétation des pleurs du bébé devient très importante, car un pleur ne traduit pas toujours une faim de lait..., et nourrir un bébé au moindre pleur peut avoir de lourdes conséquences... à long terme!

Un compromis entre l'horaire totalement libre et l'horaire rigide me semble encore acceptable après les premières semaines pour respecter à la fois les besoins physiques du bébé et les besoins psychologiques de la maman.

Ce compromis sous-entend que certaines tétées sont données à intervalles plus ou moins réguliers durant le jour (10 heures, 13 heures, 16 heures et 19 heures); les autres (la première du matin et la dernière du soir) suivent les demandes du bébé. Cet horaire se veut souple et compréhensif: si le bébé dort profondément à 13 heures, on attend jusqu'à 13h30 et on fait suivre l'autre tétée à 16h30 au lieu de 16 heures.

À chacune son horaire... Une maman heureuse en vaut deux!

Problèmes de parcours et solutions

Le retour à la maison et au quotidien sous-entend toute une adaptation pour la maman et son nourrisson. Quatre à cinq jours après la naissance, la production de lait n'est pas encore stabilisée, et l'apprentissage de l'allaitement se poursuit. Les nuits sont courtes, et les jours sont longs... Il arrive occasionnellement des problèmes de parcours, qui sont rarement insurmontables.

— Les congestions du sein

Les congestions du sein, ou engorgement, peuvent se manifester au début de l'allaitement si les seins ne sont pas complètement vidés après chaque tétée *ou* si les tétées sont trop espacées. Une compresse d'eau chaude soulage rapidement le sein engorgé. Un sein trop plein ne laisse guère de prise au bébé. Pour lui permettre de téter plus facilement, on suggère fréquemment de tirer du lait manuellement avant ou après une tétée.

— Les gerçures, fissures ou crevasses

Des gerçures, fissures ou crevasses peuvent se présenter au bout du mamelon, particulièrement chez les femmes à peau blanche et délicate, malgré un bon conditionnement des seins pendant la grossesse. Pour soulager la douleur, on applique sur le mamelon une crème de lanoline; on limite les tétées de cinq à sept minutes par sein pour quelques jours; après chaque tétée on assèche bien le mamelon et on le laisse sécher à l'air libre 15 minutes.

— L'infection du sein ou mastite

L'infection du sein se manifeste habituellement par une grande fatigue, une douleur dans tout le sein et une poussée de fièvre. Le repos est le meilleur remède, accompagné de tétées plus fréquentes pour décongestionner le sein. Si la fièvre persiste, le médecin peut recommander des antibiotiques qui n'empêchent pas de poursuivre l'allaitement.

— L'insuffisance de lait

L'insuffisance de lait est sans contredit la plus grande source de désarroi et l'une des principales causes d'arrêt prématuré de l'allaitement. Cette insuffisance, habituellement de courte durée, est souvent associée à un moment de fatigue ou d'anxiété ou à une demande supérieure du bébé causée par une poussée de croissance. On a qu'à regarder du côté des mères qui réussissent à allaiter avec succès des jumeaux[10] pour reprendre vite confiance dans les capacités maternelles face à un seul nourrisson!

Par contre, sait-on qu'une maman qui ne mange pas suffisamment, afin de retrouver plus rapidement sa taille d'antan, diminue involontairement, mais de façon importante, sa production de lait[11]?

Du repos, une alimentation adéquate (voir chapitre VI), une bonne douche ou un bain chaud juste avant d'allaiter, occasionnellement, un petit verre de vin ou de bière, voilà quelques moyens susceptibles d'apporter confiance et détente à la maman temporairement en panne.

On recommande aussi d'accroître la production de lait en augmentant pendant quelques jours le nombre de tétées ce qui stimule une plus grande montée laiteuse et répond mieux aux nouvelles fringales du bébé!

La congélation du lait maternel

La congélation du lait maternel se fait depuis longtemps dans les organismes ou «banques de lait» qui recueillent et conservent précieusement du lait de femmes bénévoles d'une région donnée pour venir en aide à des bébés prématurés ou hospitalisés et vulnérables.

Par contre, la congélation «domestique» du lait maternel est un procédé mis de l'avant assez récemment[14,15]. La technique est simple, et, tout en demeurant l'un des meilleurs moyens de conserver les aliments, la congélation reste à la portée de tous. Grâce à cette congélation domestique, la maman gagne un peu de liberté, le papa obtient la possibilité de nourrir son petit, et le bébé conserve un menu régulier, de première qualité. Cette méthode permet aussi à la maman d'un prématuré hospitalisé de subvenir, à distance, à ses besoins nutritifs et immunologiques.

On recommande[14] d'exprimer «manuellement» son lait maternel, méthode plus simple et moins douloureuse que celle du tire-lait manuel ou électrique. On doit aussi respecter certaines règles d'hygiène afin d'éviter toute contamination du lait maternel.

Procédons par étapes:

1. Verser généreusement de l'eau bouillante dans une tasse à mesurer en pyrex ou dans un autre récipient collecteur qui recevra le lait maternel et l'y laisser deux à trois minutes pour stériliser le tout, puis la retirer;

2. préparer un petit sac de polythène (du genre qui s'insère dans certaines marques commerciales de biberons) en y collant une étiquette avec la date de la collecte;

3. laver ses mains et ses mamelons avant de procéder à l'extraction du lait;

4. masser légèrement le sein et le mamelon afin de stimuler la montée laiteuse;

5. tirer le lait avec le pouce et l'index bien placés autour du mamelon — au début, l'opération est plus longue, mais avec un peu d'expérience, on peut tirer plusieurs onces en 15 minutes;

6. transvaser le lait tiré dans la tasse «stérilisée» dans le sac de polythène;

7. bien attacher le sac et réfrigérer immédiatement;

8. une fois le sac de lait maternel refroidi, soit après environ une heure, le mettre à congeler en prenant soin de le déposer loin de la porte du congélateur afin de lui conserver une température très froide et uniforme;

9. au réfrigérateur, on peut conserver le lait maternel deux jours au maximum;

10. au congélateur, le lait maternel se conserve de deux à six mois;

11. pour réchauffer le lait, sortir le sac du congélateur et le déposer dans un contenant d'eau chaude environ cinq minutes; secouer ensuite le lait pour bien distribuer les particules de gras et servir aussitôt!

12. une fois décongelé, mais non réchauffé, le lait maternel se conserve environ un jour au réfrigérateur.

La durée de l'allaitement

Tous les professionnels de la santé sont d'accord sur le fait que le lait maternel à lui seul répond adéquatement aux besoins nutritifs du bébé pendant les quatre à six premiers mois lorsque celui-ci est né à terme, qu'il est de poids normal et en bonne santé.

Personne ne limite la durée de l'allaitement à six mois; le lait maternel peut compléter le menu du bébé pendant plusieurs années si maman le désire...; on ne souligne ici que l'apport possible et maximal du lait maternel comme unique aliment au menu au cours des quatre à six premiers mois.

En réalité, quelle que soit la durée de l'allaitement, deux semaines, un mois ou deux, l'expérience vaut la peine d'être vécue par les deux principaux intéressés, mère et enfant. Le lait maternel ne demeure-t-il pas l'aliment le plus merveilleusement adapté aux besoins de l'enfant et le plus accessible à la maman?

Grâce à la possibilité de congeler le lait maternel et d'en faire des réserves aussitôt que la production le permet..., l'allaitement devient compatible avec un horaire «souple» de travail à l'extérieur du foyer, après trois mois.

Au Québec, à l'heure actuelle, on a peu d'informations précises sur la durée moyenne de l'allaitement, si ce n'est qu'une estimation faite à partir du «désir» exprimé par les mères au moment de l'hospitalisation. L'enquête menée en 1978 auprès de 26 hôpitaux de la Province, laisse toutefois entrevoir une volonté d'allaiter plus longtemps qu'en 1973, soit pour une durée de 8 à 16 semaines. Nombreuses sont les mamans, dont l'expérience ne figure sur aucune statistique, qui allaitent six mois avec succès et me font part de leur réussite!

Le sevrage

Le sevrage est un moment délicat à traverser. Idéalement, cette étape de transition se fait en douceur, de façon lente et progressive, pour ne nuire ni au bébé ni à la mère.

Si l'enfant a plus de six ou sept mois, il passe graduellement du sein au gobelet de lait entier ou de lait modifié; si le bébé a seulement quelques semaines ou quelques mois, il quitte progressivement le lait maternel pour un lait modifié ou une formule de lait pour bébé. Il faut compter environ trois semaines pour effectuer le changement.

Une première méthode consiste à substituer, tous les quatre à cinq jours, *une tétée à un biberon,* en continuant toujours d'allaiter le matin et le soir; la tétée du matin est ensuite délaissée avant celle du soir. En diminuant le nombre des tétées, on diminue automatiquement la production de lait et on facilite l'adaptation de l'organisme maternel.

Une deuxième méthode[16] consiste à réduire la durée de chaque tétée à cinq minutes pour commencer, soit deux minutes et demie par sein; on complète ensuite chaque tétée en offrant trois onces de formule au biberon. Cinq jours après cette première coupure, on diminue encore le temps de tétée d'un autre cinq minutes et on offre quatre onces de formule après la tétée. On continue ainsi jusqu'à ce que la formule remplace complètement le lait maternel.

Pour en savoir davantage sur l'allaitement maternel, on peut lire:

L'allaitement, le Pourquoi et le Comment
Hébert, Lescop, Lambert-Lagacé, Royer, Rousseau, Taggart
Éditions Opuscule, à paraître bientôt
et
Le livre de l'allaitement maternel
Colette Clark, Édition Intrinsèque, 1977.

Bibliographie
Chapitre V — L'art d'allaiter

1. «The obstetrician's approach to the breast & breast feeding»,
   Applebaum, R.M.; *Journal of Reproductive Medecine,* vol. 14, n° 3, mars 1975
2. *Human milk in the modern world,*
   Jelliffe D.B. et Jelliffe, E.F.P.;
   Oxford University Press, 1978
3. «The cholesterol content of human milk»,
   Picciano, M.F., Guthrie, H.A et coll.;
   Clinical Pediatrics, vol. 17, n° 4, avril 1978
4. «Plasma & dietary cholesterol in infancy: Effects of early low & moderate dietary cholesterol intake on subsequent response to increased dietary cholesterol»,
   Glueck, S.J. et coll.;
   Metabolism, 21, 1181, 1972
5. «Effects of varying maternal dietary cholesterol and phytosterol in lactating woman and their infants»,
   Mellies, M.J. et coll.;
   American Journal of Clinical Nutrition, vol. 31, août 1978
6. «PCB's in breast milk»;
   Committee on Environmental Hazards;
   Pediatrics, vol. 62, n° 3, septembre 1978
7. *Biphényls polychlorés — rapport du comité,*
   Lettre de renseignements,
   Direction générale de la protection de la santé,
   Santé et Bien-être social, Ottawa — 31 mars 1978
8. «Breast feeding: what is left besides the poetry?»,
   Pediatrics, vol. 62, n° 4, octobre 1978
9. «L'allaitement maternel redécouvert»,
   Lescop, J.; *Le médecin du Québec,* vol. 14, n° 6, juin 1979
10. «The breast feeding of twins»,
    Addy, H.L. J. Trop; *Pediat. Env. Child Health,* n° 21, 231, 1976

11. «Success and failure in breast feeding in relation to energy intake»,
Whichelow, M.J.; *Proc. Nutr. Soc.,* vol. 38, 62 A, 1976

12. «Le lait maternel, ça coule de source»,
Louise Lambert-Lagacé;
Châtelaine, décembre 1977

13. «The mother-newborn relationship: limits of adaptability»,
Lozoff, B. et coll.;
The Journal of Pediatrics,
vol. 91, n° 1, juillet 1977

14. *Du lait maternel au biberon,*
Vidéocassette produite par le D.S.C. de Ste-Justine, 1978

15. «La congélation du lait maternel»,
L'infirmière canadienne, juillet 1975

16. *Alimentation du nourrisson de la naissance à 1 an,*
Comité de nutrition, Inter D.S.C.
Région 03-04, avril 1978

17. «Chemical contamination of human milk; a review of current knowledge»,
Atkinson, S.A.;
Journal of the Canadian Dietetic Ass.,
vol. 40, n° 3, juillet 1979

Chapitre VI
Le menu de la nourrice

Grâce au travail efficace des glandes mammaires et à une alimentation maternelle adéquate, le bébé nourri au sein reçoit une nourriture idéale quantitativement et qualitativement.

Après avoir examiné à la loupe le contenu du lait maternel (chapitre IV), il convient maintenant de s'attarder au menu de la productrice de ce super-aliment pour bébé, car, il faut bien le dire, l'alimentation maternelle influence non seulement la qualité, mais la quantité de lait produit par les glandes mammaires. On ne peut toutefois parler d'altération importante ni sur le plan de la qualité ni sur celui de la quantité, ainsi qu'il a déjà été précisé, que dans des cas de sérieuse sous-alimentation: en effet, même dans les pays en voie de développement, les nourrices réussissent à produire un lait contenant suffisamment de protéines, de gras et de lactose (sucre) pendant les tout premiers mois après la naissance. Lorsqu'il y a malnutrition extrême, c'est la quantité de lait qui fait défaut, et non les ingrédients principaux[1].

Par contre, dans notre contexte, le lait d'une mère bien nourrie est plus riche en vitamines que celui d'une mère mal nourrie[2]; de plus, la mère mieux nourrie ne met pas ses propres réserves en péril, aspect qui ne doit pas être sous-estimé.

Cela dit, le menu de la nourrice n'a rien de très compliqué. Il se compose des mêmes bons aliments, si importants au moment de la grossesse (chapitre III), mais dans des quantités légèrement supérieures.

200 calories de plus...

Le nouveau-né ayant des besoins nutritifs encore plus grands que durant sa vie foetale, le menu de la nourrice doit être un tantinet plus généreux qu'au cours de la grossesse si elle veut fabriquer suffisamment de lait maternel. Par rapport à la quantité d'énergie recommandée à la femme enceinte[3], il ne s'agit que d'un supplément quotidien de 200 calories; par rapport à la quantité nécessaire à la femme en temps normal, l'excédent est de 500 calories. Ce surplus de calories semble bien peu pour produire 16 à 30 onces [480 à 825 mL] de lait par jour, mais ce n'est pas la seule source d'énergie à la disposition de la nourrice...

Les deux à trois kilos (ou plus), déposés dans l'organisme maternel pendant la grossesse et non perdus après l'accouchement, sont utilisés au rythme d'environ 300 calories par jour comme sources additionnelles d'énergie et disparaissent lentement mais sûrement, au profit du bébé, les trois à quatre premiers mois.

Un menu quotidien contenant environ 2 200 à 2 500 calories semble satisfaire les besoins de la mère et du bébé[4]; il peut être encore plus généreux selon les habitudes alimentaires et le degré d'activité de la mère.

Aliments clés du menu quotidien

Les portions suggérées pour chaque groupe d'aliments représentent des quantités «minimales» capables de satisfaire les besoins nutritifs d'une femme bien nourrie avant et pendant sa grossesse. Les quantités recommandées dans d'autres publications récentes[16] constituent des portions «maximales»: elle contribuent sans doute à faire du rattrapage nutritif chez les femmes mal nourries au départ[17].

Produits laitiers

Les produits laitiers constituent, sans l'ombre d'un doute, un groupe d'aliments particulièrement utiles à la mère et à l'enfant pendant la période d'allaitement. *Un litre de lait par jour ou l'équivalent en produits laitiers* représente la ration quotidienne minimale capable de fournir tout le calcium nécessaire à la formation de l'ossature et des dents de l'enfant tout en sauvegardant les réserves maternelles. Comme contribution complémentaire, le litre de lait apporte plus de 32 grammes de protéines complètes, une bonne quantité de vitamines B et toute la vitamine D requise pour la journée.

On peut remplacer un verre de huit onces [250 mL] de lait par:

- 1½ once de fromage
    ou
- 8 onces de yogourt
    ou
- 8 onces de soupe ou d'un dessert préparé avec du lait
    ou
- occasionnellement, 2 boules de crème ou de lait glacé.

Viande, volaille, poisson ou substitut

Une ration quotidienne de quatre à quatre onces et demie de viande, de volaille ou de poisson suffit pour fournir une quantité appréciable de protéines, de vitamines B et de fer.

Un repas hebdomadaire de foie, de rognons ou d'huîtres fraîches fournit une dose supplémentaire de fer et de zinc, éléments nutritifs utiles à la nourrice.

Une tasse de légumineuses cuites (fèves soya, pois secs, lentilles, etc.) ou plus fournit chaque jour à la nourrice végétarienne des protéines d'origine végétale de bonne qualité, mais qui deviennent pleinement efficaces pour la construction et la réparation des tissus à condition d'être complétées par des céréales ou du pain à grain entier, tout au long de la journée.

Oeufs

On prévoit généralement quatre à sept oeufs par semaine au menu de la nourrice; deux peuvent remplacer un repas de viande. Les oeufs contiennent des protéines très bien utilisées par l'organisme tout en fournissant vitamines et minéraux. Ils ne doivent pas être sous-estimés, ni simplement éliminés du menu sous prétexte qu'ils renferment trop de cholestérol; selon plusieurs chercheurs dans le domaine de l'*athéroslérose,* c'est la quantité totale de graisses «saturées» qui a le plus d'effet sur le taux de cholestérol sanguin. Au lieu d'éviter systématiquement les oeufs, il vaut mieux surveiller de plus près les portions de viande, de fromage, de beurre ou de margarine fortement hydrogénée[5].

Pain ou céréales à grain entier

On recommande à la nourrice «carnivore» de manger tous les jours *quatre à six tranches de pain* à grain entier ou l'équivalent en produits céréaliers. Le pain contribue non seulement à arrondir la somme de calories, mais fournit une quantité non négligeable de protéines, de fer et de vitamines B.

On recommande à la nourrice «végétarienne» de manger tous les jours *six à huit portions de produits céréaliers* pour compléter les protéines des légumineuses tout en fournissant du fer, des vitamines B et des calories.

On peut remplacer une tranche de pain à grain entier par:

- 1 portion de céréales à grain entier, cuites ou prêtes à servir
  ou
- 1 portion de riz brun ou étuvé
  ou
- 1 portion de pâtes alimentaires enrichies

ou
- 1 muffin de blé entier ou de son
  ou
- 1 crêpe de blé entier, de sarrasin, de farine d'avoine
  ou
- 1 gros biscuit à la farine d'avoine.

Fruits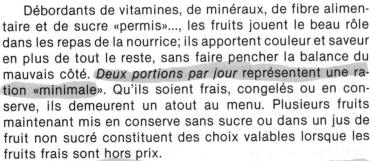

Débordants de vitamines, de minéraux, de fibre alimentaire et de sucre «permis»..., les fruits jouent le beau rôle dans les repas de la nourrice; ils apportent couleur et saveur en plus de tout le reste, sans faire pencher la balance du mauvais côté. *Deux portions par jour* représentent une ration «minimale». Qu'ils soient frais, congelés ou en conserve, ils demeurent un atout au menu. Plusieurs fruits maintenant mis en conserve sans sucre ou dans un jus de fruit non sucré constituent des choix valables lorsque les fruits frais sont hors prix.

Les fruits riches en vitamine C, comme les oranges, les pamplemousses, les fraises ou les melons, doivent être de la partie tous les jours et sont particulièrement bienvenus dans un repas végétarien à base de céréales ou de légumineuses puisqu'ils favorisent une meilleure absorption du fer.

Comme on le sait, le fer est un élément nutritif capital pour le bon fonctionnement de l'organisme, mais, à l'instar de plusieurs biens précieux, il est vulnérable, spécialement dans une alimentation sans viande. La vitamine C pouvant augmenter l'utilisation du fer contenu dans les aliments d'origine végétale, la présence de fruits ou de légumes à chaque repas est largement bénéfique[8].

Légumes

Aliments sans défaut, contenant tant d'éléments nutritifs et si peu de calories, les légumes jaunes, verts, rouges ou blancs, crus ou cuits, en jus ou en soupe, ajoutent couleur et texture à tous les repas. Qu'ils soient frais, congelés ou en conserve, ils contribuent au bilan nutritif de la journée.

Trois portions par jour représentent une ration minimale; quelques portions supplémentaires sont toujours bienvenues sur le plan santé.

Matières grasses

Une quantité modérée de beurre, de margarine «peu hydrogénée» ou d'huile poly-insaturée (maïs, tournesol...) complète le menu. Utilisées avec modération pour la cuisson, le «tartinage» ou les vinaigrettes, les matières grasses ajoutent des calories utiles tout en favorisant l'absorption de plusieurs vitamines.

On note qu'une alimentation contenant une quantité plus grande de graisses poly-insaturées que de graisses saturées influence parallèlement le contenu en graisses poly-insaturées du lait maternel. Ces changements effectués sur une base expérimentale témoignent de l'impact de l'alimentation maternelle sur certains éléments du lait et se vérifient chez les mères «végétaliennes» qui ne mangent ni viande, ni produits laitiers, ni oeufs: ces dernières ont en effet un lait maternel plus riche en graisses poly-insaturées que les mères «carnivores»...[15].

La maman n'a toutefois pas besoin d'avoir recours à une alimentation aussi «extrémiste» puisque le lait humain contient normalement une quantité appréciable de graisses poly-insaturées, soit cinq fois plus que le lait de vache.

Le lait maternel résiste par ailleurs aux variations de cholestérol du menu maternel; que ce dernier soit riche ou pauvre en cholestérol, le contenu en cholestérol du lait maternel reste relativement stable, répondant ainsi aux exigences de la nature et travaillant activement au développement du cerveau et du système nerveux du bébé[6].

Liquides

Contrairement à la croyance populaire, les liquides ingurgités par la maman n'influencent pas directement la production de lait maternel. Le bébé étant presque toujours le premier servi, c'est la mère qui risque de souffrir d'une consommation insuffisante de liquides et de se déshydrater.

Si les produits laitiers sont consommés sous forme de lait nature, qu'un des fruits de la journée est pris sous forme de jus, qu'une soupe ou un jus de légumes est incorporé au menu, il reste seulement quelques verres d'eau à boire chaque jour.

Mais si les aliments mangés régulièrement sont plutôt sous forme solide (fromage, compote de fruits ou légumes cuits), il faut songer à incorporer un plus grand nombre de verres d'eau entre les repas et aux repas pour maintenir les réserves d'eau essentielles au bon fonctionnement de l'organisme maternel.

Sucreries, pâtisseries et cie...???

Si l'on veut donner la priorité à tous les aliments clés, très utiles à la maman et au bébé durant cette période cruciale et qu'en même temps, on veut éviter d'ajouter moult calories «inutiles» au menu quotidien, il ne reste pas grand place pour les sucreries, pâtisseries et c[ie] ... Un luxe occasionnel ne nuit à personne, mais la consommation régulière d'aliments sucrés et vides d'éléments nutritifs (bonbons, boissons gazeuses, gâteaux) n'est pas recommandée.

Manger quatre ou cinq fois par jour

Pour réussir à manger quotidiennement tous les aliments clés recommandés précédemment, la maman a intérêt à manger plus souvent en multipliant les bonnes collations composées de produits laitiers et de fruits frais ou même secs.

La digestion est plus facile, l'absorption est améliorée et les quantités d'aliments à manger aux trois repas principaux restent bien raisonnables. Les collations, sources d'énergie, peuvent aussi être considérées comme des pauses ou des moments de repos bien mérités.

Aliments ou boissons problèmes?

En réalité, il y a très peu d'aliments ou de boissons susceptibles de nuire sérieusement à la mère ou au bébé pendant la période d'allaitement.

- Certains peuvent troubler la digestion maternelle comme *les fritures, les aliments trop riches ou trop sucrés,* mais ces aliments ne sont guère recommandables à quiconque de toute façon...

- *Les légumes à saveur forte* comme les choux, les oignons ou l'ail peuvent changer le goût du lait maternel, mais plusieurs bébés tolèrent assez bien ces variantes. Mieux vaut tenter l'expérience avec son bébé avant d'éliminer toute cette gamme de légumes.

- *Les mets très épicés et très salés* modifient aussi la saveur du lait maternel, mais, en général, personne n'a avantage à en faire d'abus, encore moins une nourrice.

- La mauvaise réputation du *chocolat* est peut-être bien méritée puisqu'on a observé certaines réactions malheureuses (constipation, eczéma, irritabilité, sommeil léger) chez des bébés dont la mère consommait beaucoup de chocolat[10]. Là comme ailleurs, les facteurs «quantité et fréquence» doivent être considérés; ce n'est pas le petit chocolat occasionnel qu'il faut blâmer, mais plutôt la «tablette» quotidienne ou la consommation régulière d'un autre produit préparé avec du cacao.

- *Les poissons d'eau douce* (doré, brochet, truite, achigan), plus particulièrement s'ils ont été pêchés dans les eaux contaminées du fleuve St-Laurent, de ses affluents et des lacs environnants, ne sont pas conseillés aux nourrices puisqu'ils contiennent souvent des taux élevés de BPC (biphényls polychlorés). Les poissons de mer (morue, sole, aiglefin, flétan) ne présentent aucun problème et peuvent être consommés librement et souvent par la nourrice.

- *Le café et le thé* stimulent la maman et peuvent surexciter le bébé si leur consommation est abondante. La modération s'avère bénéfique sur plusieurs plans, pour la mère et pour l'enfant.

- *L'alcool* passe rapidement dans le lait maternel et peut nuire au bébé s'il est consommé en grande quantité. Par contre, le verre de bière ou de vin «occasionnel» est recommandé par plusieurs pédiatres comme source de liquides et de détente pour la nourrice[4, 14].

Suppléments nécessaires ou superflus?

Comme il a été dit au chapitre sur la femme enceinte, une nourrice bien nourrie n'a pas besoin en principe de suppléments de vitamines ni de minéraux.

Dans les faits, un pourcentage élevé de femmes nourrices continuent de prendre leurs suppléments prénatals pendant la période d'allaitement[4].

Lorsqu'on évalue l'effet de ces suppléments sur le contenu nutritif du lait maternel et sur les réserves maternelles de mères bien nourries, on ne décèle pas de différences appréciables entre les mères qui reçoivent des suppléments et les autres[11]. Il ne faut toutefois pas oublier qu'il s'agit dans ces cas-là de nourrices «bien nourries»...; toute la solution réside dans l'assiette et le verre de la mère!

- Si cette dernière ne prend pas au moins 2 grands verres de lait par jour, un supplément de 200 UI (unités internationales) de vitamine D, sous forme de gouttes ou de comprimés, est nécessaire pour pleinement utiliser le calcium présent dans le fromage ou le yogourt mangé quotidiennement (le lait liquide est le seul produit laitier obligatoirement enrichi de vitamine D au Canada et dans 500 mL ou 16 onces, on retrouve toute la quantité nécessaire pour la journée; les autres produits laitiers ne sont pas enrichis de cette vitamine).
- Si la mère ne prend pas suffisamment de produits laitiers, soit l'équivalent d'un litre de lait en fromage, en yogourt ou en aliments préparés avec du lait, elle doit compléter son alimentation avec un supplément de calcium pour atteindre ses 1 200 mg de calcium par jour; autrement, elle déminéralise ses propres os[14].

- Si la mère est «végétalienne», c'est-à-dire qu'elle ne mange ni viande, ni produit laitier, ni oeuf, elle doit prendre des suppléments de vitamine B12, de calcium et de vitamine D pour ne pas nuire à la croissance ni au développement de son bébé:

  Besoins quotidiens: 2,5 μg de vitamine B12

  1 200 mg de calcium

  200 UI de vitamine D

- Si la mère a une alimentation carrément «boiteuse», qu'elle continue d'avaler les suppléments prénatals chaque jour... en attendant de mieux manger!

Attention aux médicaments!

Le bébé reçoit, malgré lui, tout ce que la maman ingurgite: aliment, boisson, médicament ou drogue; il n'existe pas de filtre magique capable de faire passer seulement les bonnes substances du sang maternel aux glandes mammaires. Tout est transmis au bébé et peut altérer ses systèmes digestif et rénal encore inachevés.

Les médicaments pris par la maman passent donc tous dans le lait maternel à une faible concentration. La plupart ont peu d'effet sur le bébé, mais certains sont carrément contre-indiqués comme les anti-coagulants, les hypo-thyroïdiens, les amphétamines et les diurétiques[12]. La pilule contraceptive demeure très controversée puisqu'elle diminue la quantité de lait maternel et y laisse des traces d'hormones. Si elle est absolument essentielle, une dose minimale, prescrite suite à une consultation médicale et contenant uniquement de la progestérone semble préférable[14].

Comme morale générale au sujet de toute médication, l'abstention est souhaitable, lorsque c'est possible; en cas de nécessité, le médecin traitant doit être consulté.

Place aux menus!

Pour mieux saisir les recommandations de ce chapitre les pages qui suivent présentent sept menus complets pour une nourrice «carnivore» et sept menus complets pour la végétarienne. La valeur nutritive des menus est ensuite analysée.

Menus pour nourrices

avec viande

Jour 1.
½ pamplemousse
pain aux bananes avec
fromage *ricotta* ou
cottage (¼ de tasse)
verre de lait ou café
au lait (8 onces)

crudités
soupe aux lentilles (1 tasse)
pain de blé entier (2 tranches)
yogourt nature avec pêche
fraîche ou en conserve
(4 onces)

fruit et lait (8 onces)

poulet au four (3 onces)
riz à l'orange
carottes et haricots verts
pomme au four
tisane

lait ou yogourt (8 onces)

Jour 2.
jus d'orange
gruau d'avoine et raisins
secs avec lait
pain de blé entier grillé (1 tranch
lait ou café au lait (6 onces)

crudités
sandwich grillé au saumon
ou pain *pita* farci au saumon
banane
verre de lait (8 onces)

végétariens

Jour 1.
½ pamplemousse
pain aux bananes avec
fromage *ricotta* ou
cottage (¼ de tasse)
verre de lait ou café
au lait (8 onces)

crudités
soupe aux lentilles (1 tasse)
pain de blé entier (2 tranches)
yogourt nature avec pêche
fraîche ou en conserve
(4 onces)

fruit et lait (8 onces)

casserole de légumes gratinés
pain aux fines herbes
salade de verdure
pomme au four
tisane

lait ou yogourt (8 onces)

Jour 2.
jus d'orange
gruau d'avoine et raisins
secs avec lait
pain de blé entier grillé (1 tranche)
lait ou café au lait (6 onces)

crudités
un *muffin anglais* grillé et tartiné
de beurre d'arachide ou de fromage
banane
verre de lait (8 onces)

jus de fruit et fromage
(1½ once)

Casserole aux lentilles et
riz brun
courgettes et carottes
pain d'épice et
yogourt à l'orange (4 onces)
tisane

lait ou yogourt (8 onces)

Jour 3.
orange en quartiers
oeuf à la coque ou poché
pain de blé entier grillé
(2 tranches)
lait ou café au lait

salade de légumes cuits et
crus avec cubes de fromage
(2 onces) et noix
pain de blé entier ou
muffin au son
poire fraîche ou en conserve
lait

lait et fruits secs (8 onces)

pot-au-feu (3 onces)
salade de chou et de pomme
pain de blé entier (1 tranche)
coupe de fruits frais
tisane ou eau

lait ou yogourt (6 onces)

Jour 4.
½ pamplemousse
céréales de blé filamenté
avec lait, saupoudrées de
noix et de germe de blé
pain de blé entier grillé

jus de fruit et fromage
(1½ once)

casserole aux lentilles et
riz brun
courgettes et carottes
pain d'épice et
yogourt à l'orange (4 onces)
tisane

lait ou yogourt (8 onces)

Jour 3.
orange en quartiers
oeuf à la coque ou poché
pain de blé entier grillé
(2 tranches)
lait ou café au lait

salade de légumes cuits et
crus avec cubes de fromage
(2 onces) et noix
pain de blé entier ou
muffin au son
poire fraîche ou en conserve
lait

lait et fruits secs (8 onces)

haricots rouges (1 tasse) aux
fines herbes avec riz (½ tasse)
salade de chou et de pomme
pain de blé entier (1 tranche)
coupe de fruits frais
tisane ou eau

lait ou yogourt (6 onces)

Jour 4.
½ pamplemousse
céréales de blé filamenté
saupoudrées de noix et de germe
de blé avec lait

(1 tranche)
lait ou café au lait

jus ou soupe aux légumes
sandwich aux oeufs durs
(1 oeuf) sur pain de blé
entier
compote de pommes
lait (8 onces)

pomme et cube de fromage
(1½ once)

filet de poisson poché
(4 onces)
pomme de terre au four
brocoli nature
banane et yogourt (sauce)
(4 onces)
tisane

lait ou yogourt (8 onces)

Jour 5.

jus d'orange
1 oeuf poché ou à la coque
pain de blé entier grillé
(2 tranches)
lait ou café au lait (8 onces)

crème de légumes verts
salade de fèves romaines
(1 tasse)
pain de blé entier (2 tranches)
yogourt avec pêche fraîche
ou en conserve (4 onces)
lait (8 onces)

raisins secs et lait (8 onces)

foie de boeuf créole
(3 onces)
riz brun, persillé (1 tasse)
haricots verts

pain de blé entier grillé
(1 tranche)
lait ou café au lait

jus ou soupe aux légumes
sandwich aux oeufs durs
(1 oeuf) sur pain de blé
entier
compote de pommes
lait (8 onces)

pomme et cube de fromage
(1½ once)

crêpes farcies aux légumes et
gratinées
salade de verdure
banane et sauce au yogourt
(4 onces)
tisane

lait ou yogourt (8 onces)

Jour 5.

jus d'orange
1 oeuf poché ou à la coque
pain de blé entier grillé
(2 tranches)
lait ou café au lait (8 onces)

crème de légumes verts
salade de fèves romaines
(1 tasse)
pain de blé entier (2 tranches)
yogourt avec pêche fraîche
ou en conserve (4 onces)
lait (8 onces)

raisins secs et lait (8 onces)

jus de légume
pizza végétarienne avec beaucoup
de fromage
salade de chou chinois

compote de pommes
tisane

lait ou yogourt (8 onces)

Jour 6.
jus de pomme
blé filamenté saupoudré
de noix et de raisins secs
avec lait
pain de blé entier grillé (1 tranche)
ou *muffin* au son
lait ou café au lait (6 onces)

crudités
sandwich grillé au fromage
(2 onces) avec tomate
pomme ou poire
lait (8 onces)

fruit et lait (4 onces)

boeuf braisé avec nouilles
persillées
pain de blé entier (1 tranche)
salade de laitue et d'épinards
yogourt (4 onces) et fraises
décongelées
tisane

lait (4 onces)

Jour 7.
orange en quartiers
1 once de fromage
muffins au son (2)
lait ou café au lait (8 onces)

jus de légumes ou bouillon
salade de poulet et de riz
pain de blé entier (1 tranche)
banane
lait (8 onces)

compote de pommes
tisane

lait ou yogourt (8 onces)

Jour 6.
jus de pomme
blé filamenté saupoudré
de noix et de raisins secs
avec lait
pain de blé entier grillé (1 tranche)
ou *muffin* au son
lait ou café au lait (6 onces)

crudités
sandwich grillé au fromage
(2 onces) avec tomate
pomme ou poire
lait (8 onces)

fruit et lait (4 onces)

haricots à la québécoise
avec riz persillé
pain de blé entier (1 tranche)
salade de laitue et d'épinards
yogourt (4 onces) et fraises
décongelées
tisane

lait (4 onces)

Jour 7.
orange en quartiers
1 once de fromage
muffins au son (2)
lait ou café au lait (8 onces)

crudités
soupe de lentilles ou de pois
secs (1 tasse)
pain de blé entier entier (2 tranche)
banane et sauce au yogourt (4 onc)

lait (8 onces)		lait (8 onces),
raisins secs et noix		raisins secs et noix

omelette au fromage (2 oeufs)	omelette au fromage (2 oeufs)
salade de chou chinois	salade de chou chinois
pain de blé entier (2 tranches)	pain de blé entier (2 tranches)
pomme au four	pomme au four
biscuit d'avoine (1)	biscuit d'avoine (1)
tisane	tisane

lait ou yogourt (4 onces)	lait ou yogourt (4 onces)

---

11. Valeur nutritive des sept menus pour nourrices

A.   Menus avec viande (quatre à quatre onces et demie de volaille, de viande ou de poisson par jour)

	Calories	Protéines (g)	Calcium (mg)	Fer (mg)	Vit.B12 (μg)	Vit. C (mg)
Jour 1	1985	104	1556	16	5	213
Jour 2	2415	97	2119	15	10	251
Jour 3	2367	104	2074	17	10	322
Jour 4	1800	102	1858	14	7	159
Jour 5	2192	114	2253	22[3]	78[3]	297
Jour 6	2138	95	1968	18	6	219
Jour 7	2194	105	2020	18	7	193
Moyenne par jour	2156[1]	103[2]	1978	17	18	236[4]

Apports nutritionnels recommandés pour les Canadiens (1983)

Calories	Protéines	Calcium	Fer	Vit. B12	Vit. C
2400-2600	61 g	1200 mg	14 mg	2,5 μg	75 mg

(1)   La quantité moyenne de calories est inférieure aux recommandations du Standard, mais se rapproche des quantités actuellement consommées

par les nourrices[4]. De plus, les menus ne tiennent pas compte des matières grasses, ordinairement ajoutées pour la cuisson et le «tartinage», sauf pour les vinaigrettes.

Le lait calculé est à 2% et le yogourt «nature» dans la majorité des cas. Il est donc facile d'arrondir les calories de ces menus, si désiré.

(2)   Malgré les petites portions de viande, de volaille ou de poisson les menus contiennent beaucoup plus de protéines que ne le demandent les recommandations.

(3)   Le menu du jour 5 très riche en fer et en vitamine B12 correspond au menu contenant un repas de foie, aliment super-riche en ces deux éléments nutritifs.

(4)   Les valeurs très élevées en vitamine C reflètent des menus bien remplis de fruits et de légumes. Ils sous-entendent aussi qu'il n'est pas nécessaire de prendre des suppléments de vitamines lorsqu'on mange bien.

B.   Menus végétariens (sans viande, mais renfermant des produits laitiers et des oeufs)

	Calories	Protéines (g)	Calcium (mg)	Fer (mg)	Vit. B12 (μg)	Vit. C (mg)
Jour 1	1914	86	1857	15	5	168
Jour 2	2361	86	1952	14	4	251
Jour 3	2331	98	2300	18	9	373
Jour 4	2018	96	2336	16	7	184
Jour 5	2164	99	2423	15	12	284
Jour 6	2076	84	2078	20	4	258
Jour 7	2129	95	2067	17	6	144
Moyenne par jour	2142[1]	92	2145	16[3]	7[4]	237

Quantités recommandées par les standards de nutrition du Canada (1975)

Calories	Protéines	Calcium	Fer	Vit. B12	Vit. C
2400-2600	70 g	1200 mg	14 mg	2,5 μg	75 mg

(1)   Les remarques concernant les valeurs en *calories* des menus végétariens recoupent celles qui ont été faites au sujet des menus avec viande.

(2) L'établissement du taux de *protéines* nécessaires à 70 grammes par jour pour menu végétarien représente une augmentation de 8% par rapport au menu carné et respecte les recommandations de la *F.A.O* à ce sujet. Selon la même source, un menu végétalien sans viande, ni produit laitier, ni oeuf, demanderait une addition de 13 grammes de protéines par jour, soit une augmentation de 21% par rapport au menu carné, pour composer l'absence complète d'aliments d'origine animale[7].

(3) Les valeurs moyennes en *fer* dépassent légèrement les quantités recommandées de 15 mg par jour, grâce à la présence quotidienne de légumineuses et de céréales à grain entier. Il faut cependant savoir que le fer est moins bien utilisé par l'organisme s'il provient de ces aliments plutôt que de la viande ou des abats. Lorsqu'on mange un fruit ou un légume riche en vitamine C (orange, brocoli et c[ie]) au même repas que les légumineuses ou que les céréales, le fer est absorbé cinq fois mieux que si ces mêmes aliments sont mangés seuls. À bon entendeur, salut!

(4) Les menus végétariens fournissent une quantite suffisante de *vitamine B12* parce qu'ils renferment beaucoup de produits laitiers et des oeufs.

Un menu végétalien sans viande, ni volaille, ni poisson, ni produit laitier, ni oeuf, ne contient pas suffisamment de cette vitamine et le bébé d'une mère végétalienne peut avoir de graves problèmes si cette dernière ne prend pas de suppléments de vitamine B12[9] ou si elle improvise son alimentation.

Bibliographie

Chapitre VI — Menu de la nourrice

1. «Lactation and composition of milk in undernourished women»,
   Nutrition Reviews, vol. 33, février 1975
2. *Human milk in the modern world,*
   Jelliffe and Jelliffe; Oxford Press, 1978
3. Apports nutritionnels recommandés pour les Canadiens; Santé et Bien-être social, Ottawa, 1983
4. «Dietary Status of Lactatating Women I et II»,
   Sims, L,; *Journal of the American Dietetic Association,* vol. 73, août 1978
5. *Rapport du comité sur le régime alimentaire et les maladies cardio-vasculaires,*
   Santé et Bien-être social, Ottawa, décembre 1976

6. «Effects of varying maternal dietary cholesterol and phytosterol in lactating women and their infants», Mellies, M.J. et coll.: *American Journal of Clinical nutrition,* vol. 31, août 1978

7. «Plant protein in human nutrition», Sabry, J.H.; *Journal of the Canadian Dietetic Association,* vol. 37, 36, 1976

8. «Le fer, problème d'absorption — problème de carence» Brault-Dubuc, M.; *Le Médecin du Québec,* vol. 14, no 4, avril 1979

9. «A syndrome of methylmalonic aciduria, homocystinuria, megaloblastic anemia and neurologic abnormalities in a vitamin B12 deficient breast-fed infant of a strict vegetarian», Higginbottom, M.C. et coll; *The New England Journal of Medecine,* vol. 299, n° 7, 17 août 1978

10. *Nursing mothers should avoid chocolate,* Fased feature service, décembre 1977

11. «Dietary evaluation of lactating of women with or without vitamin and mineral supplementation», Thomas, R.M. et coll.; *Journal of the American Dietetic Association, vol. 74, juin 1979*

12. «Breast feeding and drugs in human milk», Applebaum, R.M; *Keeping Abreast Journal vol. 2, n° 4, oct-déc. 1977*

13. «Factors affecting human milk composition», Atkinson, S.A; *Journal of the Canadian Dietetic Association,* vol. 40, n° 3, juillet 1979

14. «Chemical contamination of human milk — A review of current knowledge», Atkinson, S.A.; *Journal of the Canadian Dietetic Association,* vol. 40, n°, 3, juillet 1979

15. «Studies of Vegan: The fatty acid composition of plasma choline phosphoglycéride, erythrocytes, adipose tissue

and breast milk, and some indications of susceptibility to ischemic heart disease in vegans and omnivore controls»,
Sanders, T.A.B. et coll.; *The American Journal of clinical nutrition* — vol. 31, mai 1978
16. *Dis, maman, qu'est-ce qu'on mange?,*
    Bureau laitier du Canada, octobre 1979
17. Nutritionnal needs of the pregnant and lactating mother, Beaton, G.H.;
    The mother-child dyad nutritional aspects, Symposia of the Swedish nutrition Foundation XIV, Almquist et Wiksell international,
    Stockholm, 1979

Chapitre VII
Les «autres laits», avant et après six mois

Tout au long de la première année de vie, le lait maternel, ou un autre lait choisi adéquatement, demeure l'aliment par excellence du menu du bébé; il lui fournit une foule d'éléments nutritifs utiles à sa croissance et aucun autre aliment ne peut en faire autant! Pendant les six premiers mois, le lait peut agir seul et suffire à la tâche; après cet âge, il est complété par des aliments solides, mais il conserve son rôle titre.

Plusieurs chapitres de ce livre sont consacrés au lait maternel parce qu'il constitue le premier et le meilleur choix; par contre, seule une minorité des bébés (40% au Québec, 48% en France) en bénéficie[1] à l'heure actuelle, et cela pour une courte période d'une à seize semaines. Il y a donc toute une gamme de laits qui sont bus par les nourrissons, et diverses enquêtes menées récemment au Canada et au Québec révèlent la répartition de ces différents laits au cours des premiers mois[2] [3] [4] [5].

12. Les «autres laits» au menu du bébé

différents laits	% de bébés qui en boivent à la naissance	% de bébés qui en boivent avant 6 mois
lait «maternisé» (SMA, Similac, Enfalac)	50 à 77%	31%
lait de vache homogénéisé, entier	5,6 à 12%	52%
lait 2% ou écrémé	2 à 8%	10,5%

Comme ce tableau l'indique, les bébés ne boivent pas tous le même lait à la naissance, et un bon nombre de nourrissons changent de lait avant d'atteindre l'âge de six mois; les bébés allaités au sein à la naissance changent aussi de lait avant six mois. On note d'autre part que plus du tiers des bébés, quel que soit leur mode d'alimentation, boivent trois types de lait au cours de la première année de vie[3].

Parmi ces laits, certains sont carrément contre-indiqués à la naissance parce qu'ils peuvent nuire à l'organisme du nouveau-né: lait de vache ordinaire, 2% ou écrémé, tandis que d'autres, à savoir les laits maternisés, sont recommandables. Après six mois, la situation évolue..., et le lait de vache entier peut être donné sans problème.

Pour servir au bébé le bon lait au bon moment, faisons un tour du marché et regardons la composition et la valeur nutritive de ces différents laits. Bien entendu, le choix final se fait avec l'aide du médecin.

Laits «maternisés»
«Recommandés les six premiers mois, à défaut de lait maternel»

- SMA, Similac, Enfalac, PM 60/40, Enfamil, au Canada et aux États-Unis
- Aptamil, Lacmil, Materna Spécial, Nan, Nativa, Nidina maternisé, Nursie, S 26, en Europe

Ces laits tendent à imiter le plus possible le lait maternel, mais la qualification «maternisé» demeure trop favorable, voire exagérée, puisque le lait maternel reste vraiment inimitable[6,7]. Il n'y a qu'à voir les changements périodiques apportés à la composition de ces laits et les nombreuses variations d'un lait à l'autre[16] suivant les plus récentes découvertes faites sur le lait maternel et les recommandations de comités d'experts sur la question[8]. Malgré tout et dans l'ensemble, ces laits respectent mieux les besoins physiologiques du nouveau-né que le lait de vache ordinaire ou que les autres laits disponibles; *ils constituent le deuxième choix, après le lait maternel.*

I- Composition:

Certains laits «maternisés» (Enfalac, Similac) sont fabriqués de la façon suivante:

a) le lait de vache est d'abord écrémé, puis dilué; ce procédé diminue la quantité de protéines et de minéraux et permet d'atteindre des concentrations comparables à celles que l'on trouve dans le lait de femme;

b) des huiles végétales (huile de coco, de maïs, de soya) sont ajoutées au lait pour remplacer le gras du lait de vache que le bébé digère plus difficilement et qui renferme moins de graisses poly-insaturées que certaines des huiles végétales utilisées comme substituts;

c) on ajoute aussi du lactose (sucre du lait) pour atteindre le niveau de lactose normalement présent dans le lait de femme: ce type de sucre est choisi de préférence à tous les autres, car, une fois transformé en galactose, il est le seul sucre utilisable pour l'édification des cellules du cerveau du bébé[6].

D'autres laits maternisés (SMA et PM 60/40) sont composés d'une quantité égale de lait de vache écrémé et de «petit lait déminéralisé» pour mieux imiter la teneur en protéines et en minéraux du lait de femme. Ils contiennent, eux aussi, des huiles végétales à la place du gras du lait de vache et une quantité additionnelle de lactose pour atteindre le niveau normalement présent dans le lait maternel.

Plusieurs de ces laits maternisés sont offerts avec une quantité additionnelle de fer (SMA, Similac enrichi de fer, Enfalac enrichi de fer). C'est au médecin de déterminer s'il y a lieu d'avoir recours à un lait maternisé «enrichi de fer».

II- Valeur nutritive:

Si l'on compare le contenu des laits «maternisés» à celui du lait de vache ordinaire, on saisit facilement les différences nutritives qui peuvent influencer le bien-être du nouveau-né[9].

13. Comparaison entre les laits «maternisés» et le lait de vache

éléments nutritifs	lait «maternisé» (SMA, Similac, Enfalac)	lait de vache «homogénéisé» entier
protéines	1,5 g/100 mL — quantité comparable à celle du contenu du lait maternel; — plus faciles à digérer parce que le lait est traité	3,5 g/100 mL — quantité excédant les besoins du nourrisson; — plus difficiles à digérer par le bébé

matières grasses	3,6 g/100 mL — huiles végétales (coco, maïs ou soya) plus faciles à digérer et plus riches en graisses poly-insaturées	3,5 g/100 mL — gras du lait de vache plus difficile à digérer et moins riche en graisses poly-insaturées
sucre	7,2 g/100 mL — lactose — sucre utile au bébé en quantité comparable à celle du contenu du lait maternel	4,9 g/100 mL — lactose — sucre utile au bébé, mais en quantité insuffisante
minéraux (calcium, phosphore, sodium, potassium, magnésium, etc.)	— présents en quantité moins grande que dans le lait de vache ordinaire; se rapprochent de ceux qui sont contenus dans le lait maternel	— excèdent de beaucoup les besoins du bébé et imposent un travail supplémentaire au système rénal encore inachevé
vitamine C	5,3 mg/100 mL — quantité ajoutée légèrement supérieure à celle du lait maternel	1 mg/100 mL — quantité inférieure aux besoins du bébé
vitamine D	42 UI/100 mL — quantité ajoutée qui se rapproche des quantités contenues dans le lait de vache ordinaire, enrichi obligatoirement au Canada	40 UI/100 mL — quantité ajoutée obligatoirement au Canada pour satisfaire les besoins élevés des enfants en particulier

III- Mode d'emploi:

Le lait maternisé se prépare selon le mode d'emploi indiqué sur le contenant acheté:

- on se sert d'ustensiles scrupuleusement propres et rincés à l'eau bouillante pour les diverses manipulations du lait;
- on n'ajoute jamais de sucre puisque le lait maternisé est déjà sucré à point;
- on conserve la formule préparée dans des biberons stériles, au réfrigérateur, jusqu'au moment de la tétée;
- si le produit est acheté «en liquide concentré», on ajoute une quantité d'eau égale (l'eau du robinet est mise à bouillir 20 minutes, puis refroidie; si l'on utilise de l'eau «embouteillée», la bouteille doit porter la mention «stérile», et l'eau ne doit pas contenir beaucoup de sels minéraux — parmi ces eaux, la Canaqua, l'Evian, la Labrador sont recommandées[10];
- si le produit est acheté «en poudre», on mesure les quantités d'eau et de poudre avec précision pour obtenir la dilution qui convient au bébé;
- lorsqu'on achète le produit sous la forme «prêt-à-servir», il faut agiter la boîte, l'ouvrir puis verser la quantité voulue dans un biberon stérile; une fois la boîte ouverte, on doit la couvrir, réfrigérer et ne pas la conserver plus de 48 heures.

IV- Moment d'introduction et durée d'utilisation:

Pour les motifs mentionnés précédemment, les laits maternisés sont offerts au bébé dès la naissance; ils peuvent remplacer occasionnellement une tétée de lait maternel ou se substituer à ce dernier, dans un cas de sevrage précoce.

Ces laits sont les seuls vraiment adaptés aux besoins des bébés de moins de six mois, à défaut de lait maternel. Après six mois, le bébé peut graduellement délaisser les laits maternisés pour passer au lait de vache entier (3,25% de gras)[11].

V- Coût d'achat:

Les laits maternisés se vendent dans les pharmacies et les marchés d'alimentation; les prix varient énormément d'un endroit à un autre. Il est donc très profitable de visiter quelques magasins avant d'en acheter une bonne quantité.

Note: Achetés «en poudre», ils reviennent deux fois moins cher qu'achetés «en liquide prêt-à-servir». Consulter le tableau de la comparaison des coûts pour une journée, au chapitre IV.

Lait de vache homogénéisé, entier «Déconseillé avant six mois»

Ainsi qu'on peut en juger d'après le tableau 13, le lait homogénéisé «entier» ne convenant pas du tout au nouveau-né, il ne faut pas le donner au bébé avant l'âge de six mois. Il contient en effet des protéines et des matières grasses très difficiles à digérer et renferme des quantités trop fortes de minéraux qui risquent de surcharger le système rénal inachevé du bébé. Il occasionne parfois des allergies; il peut même provoquer des saignements intestinaux[11] et des diarrhées accompagnées de fièvre qui peuvent déshydrater le bébé[15].

Note: Si, en raison d'un sérieux problème budgétaire, on ne peut acheter un lait «maternisé» pendant six mois, le lait de vache concentré ou «évaporé» entier (3,25% de gras: Carnation, Crino, Farmer's Wife) peut constituer un troisième choix acceptable pour le bébé lorsqu'il est reconstitué, dilué et sucré selon les indications du médecin ou du professionnel de la santé consulté[9]. Le procédé d'évaporation modifie quelque peu la composition du lait de vache «frais» et le rend plus tolérable par le jeune bébé; le lait concentré ou «évaporé» entier cause ainsi moins de problèmes intestinaux au bébé que le lait «frais».

«Pas de problème après six mois»

Après six mois, lorsque l'enfant a commencé à manger des aliments solides, il peut graduellement intégrer à son menu du lait de vache «entier» à 3,25% de matières grasses[11] [12].

Laits 2% ou écrémé
«Absolument déconseillés pendant les 12 premiers mois»

Depuis le début des années 70, on observe un nombre croissant de bébés qui boivent du lait écrémé ou 2% dès la naissance ou vers l'âge de quatre à six mois pour soi-disant prévenir l'embonpoint ou les problèmes d'athérosclérose[4]. Dans la première édition de ce livre[13], l'option du lait 2% après six mois était même suggérée, en toute bonne foi à cette époque.

Quelques chercheurs, soucieux de connaître l'effet d'une telle démarche sur la croissance des enfants, ont entrepris plusieurs études sur la question[14]. Ils ont noté que les bébés nourris au lait écrémé à partir de l'âge de quatre mois boivent une plus grande quantité de lait et mangent plus de solides que les bébés nourris au lait maternisé, afin de trouver l'énergie nécessaire à leur croissance. Malgré cela, les premiers prennent moins de poids que les seconds et perdent une quantité importante de tissus gras, soit presque 28% de leurs réserves au cours d'une période de 56 jours; cette perte importante pourrait mettre en péril l'aptitude du bébé à lutter contre une infection ou une maladie quelque peu prolongée.

Selon les auteurs, ce type de lait, s'il est donné trop tôt à l'enfant, au lieu de prévenir l'obésité, semble créer chez lui un mécanisme de compensation qui le pousse à manger et à boire de plus grandes quantités d'aliments et de lait pour tenter d'obtenir l'effet de satiété souhaité. Plus âgé, face à une alimentation plus riche en calories et en gras, cet enfant risque d'avoir beaucoup de difficultés à manger des quantités «modérées» puisqu'il a pris l'habitude de se gaver... pour satisfaire son appétit, et cela à cause de l'introduction précoce de lait écrémé. Le lait 2% a des effets moins marqués, mais il est susceptible de provoquer des mécanismes de compensation semblables.

Bien entendu, les laits 2% ou écrémé donnés à la naissance peuvent causer des torts encore plus graves puisqu'ils privent le nouveau-né de graisses essentielles, contenues normalement en bonne quantité dans le lait maternel ou les laits «maternisés» et en moins grande quantité dans le lait de vache «entier».

Ils fournissent d'autre part trop de protéines et de minéraux et surchargent le système rénal encore inachevé. Ils sont en fait des laits «déséquilibrés» pour le bébé de la naissance à un an et doivent être évités à tout prix.

Formules à base de soya ou de viande «Pour des cas bien spéciaux»

Il existe toute une famille de formules pour nourrissons fabriquées à partir de protéines de soya (Prosobee, Isomil, Neo-Mull-Soy, etc.) ou de viande (HSC Lambs base, MBF).

Ces formules sont utilisées dans des cas bien particuliers, notamment lorsque les bébés sont déclarés franchement «allergiques» aux protéines ou au sucre (lactose) du lait. Seul le médecin traitant le bébé peut décider d'avoir recours à de telles formules.

14. Le bon lait au bon moment

laits	moment d'introduction	durée d'utilisation
lait maternel	naissance	illimitée, selon disponibilité de la maman
laits «maternisés»	naissance	au moins jusqu'à l'âge de six mois
lait de vache entier (3,25%)	après l'âge de 6 mois	jusqu'à 1 an ou plus (selon les habitudes familiales)
lait 2%	après l'âge de 1 an	selon les besoins et les habitudes familiales
lait écrémé	de 1 à 2 ans, si nécessaire	selon les besoins de l'enfant

Bibliographie

Chapitre VII - Les autres laits...

1. Enquête menée auprès de 26 hôpitaux du Québec à l'automne de 1978 —
   L. Lambert-Lagacé
2. «Alimentation du nourrisson canadien-français de la naissance à six mois»,
   Brault-Dubuc, M.; *Annales,* A.C.F.A.S, vol. 44, n⁰2, 1977
3. «Dietary Effects on Lipid Profiles during the First Two Years of Life», Letarte, J. et coll.; *Proceedings of the International Symposium on Diet and Atherosclerosis in Pediatrics,* septembre 1978, C.C Roy, Carleton Press, Montréal, 1979
4. «A retrospective look at infant feeding practices in Canada 1968-1978»,
   Myres, A.W.; *Journal of the Canadian Dietetic Association,* vol. 40, n° 3, juillet 1979

5. *Enquête sur les sources d'information qui influencent les mères au sujet de l'alimentation du nourrisson,* D.S.C. Maisonneuve-Rosemont, février 1978

6. «Laits pour bébé»
   Astier-Dumas, M.; *L'alimentation et la vie,* vol. 64, n° 4, 1976

7. «Essais d'un lait «maternisé» chez l'enfant de petit poids à la naissance - 80 cas», Satgé, P. et coll.; *Annales de Pédiatrie,* vol. 24, n° 6-7, juin-juillet 1977

8. *Infant Nutrition* — Second Edition —, Fomon, S.J.; W.B. Saunders, 1974

9. *Alimentation du nourrisson de la naissance à 1 an* — préparé à l'intention des professionnels de la santé; Comité de nutrition —, Inter D.S.C. Région 03-04, avril 1978

10. *Bébé est arrivé,* D.S.C. Hôpital Honoré-Mercier Inc., St-Hyacinthe, mars 1979

11. «Recommendations for feeding normal infants», Fomon S.J. et coll.; *Pediatrics,* vol. 63, n° 1, 1979

12. «Current issues in infant feeding», Thomson, C.A. et coll.; *The Journal of the Canadian Dietetic Association,* vol. 39, n° 3 — juillet 1978

13. *Comment nourrir son enfant de la naissance à six ans,* Louise Lambert-Lagacé; Editions de l'homme, 1974

14. «Skim milk in infant feeding,» Fomon, S.J. et coll.; Acta Pediatr. Scand. 66; 1730, 1977

15. «Protracted Diarrhea in infancy treated by intravenous Alimentation», LLoyd-Still, J.D. et coll.; *American Journal of Diseases of the child,* vol. 125, mars 1973

16. «Aliments lactés en poudre pour nourrissons dans les pays du Marché Commun: quelques résultats analytiques», M. Denechere et coll.; *Médecine et nutrition,* XV, no 6, nov. 1979

Chapitre VIII
Les suppléments, avant et après six mois

Quand on parle d'un supplément de vitamines ou de minéraux, dans le fin fond on veut parler d'un «complément» nutritif; le rôle de ce «complément» n'est pas d'aider le bébé à dépasser ses besoins nutritifs, mais simplement de lui donner ce qu'il ne reçoit pas en quantité suffisante dans son menu quotidien. Un supplément de vitamines ou de minéraux rend donc service quand il «complète» le menu ou lorsque les aliments mangés dans une journée ne contiennent pas tout ce dont le bébé a besoin.

Dans le contexte québécois et même nord-américain, ce rôle des suppléments semble mal compris puisqu'on constate que la grande majorité des bébés reçoit des suppléments dès la sortie de l'hôpital[1]. «Mieux vaut *plus* que juste assez», doit-on se dire! Il faut admettre que la plupart des suppléments donnés dans la dose prescrite ne causent aucun tort au bébé ni au jeune enfant. Mais l'utilisation « quasi automatique » d'un supplément de plusieurs vitamines deuxième semaine peut être contestée.

Les opinions sur la nécessité d'avoir recours à tel ou tel supplément sont très variées..., pour ne pas dire souvent contradictoires! Ce chapitre ne cherche pas à trancher le débat une fois pour toutes, puisqu'un livre ne peut jamais remplacer les conseils d'un professionnel de la santé face à un bébé en particulier: les pages qui suivent présentent les faits et suggèrent un moment de réflexion; elles favorisent un dialogue avec le médecin avant d'investir dans un supplément, s'il y a lieu.

La situation avant six mois

En traçant un parallèle entre les suppléments prescrits, les besoins du bébé et son menu quotidien, on pense pouvoir facilement détecter la nécessité d'un supplément; hélas, la comparaison ne permet de voir qu'une partie de la réalité, car le nourrisson a d'autres sources d'éléments nutritifs! Dans les conditions idéales, il vient au monde avec un héritage nutritionnel, légué au cours de la grossesse et au moment de l'accouchement. Issu d'une mère bien nourrie et bénéficiaire de la transfusion placentaire avant la ligature du cordon sur la table d'accouchement, le bébé a à sa disposition des réserves nutritionnelles difficiles à quantifier, mais bien réelles. Il ne faut donc pas s'attarder aux différences de quelques milligrammes entre les besoins quotidiens du bébé et son menu habituel; seuls les grands écarts entre ces deux éléments confirment l'avantage d'un supplément, et même là, il y a des exceptions!

Pour mieux suivre le débat, commençons par examiner la contribution quotidienne des différents laits et comparons avec les besoins du nourrisson, fixés par les Apports nutritionnels recommandés pour les Canadiens[2]. Voyons ensuite l'apport de la dose quotidienne des suppléments les plus fréquemment prescrits et faisons le bilan. Chaque élément nutritif est étudié séparément et calculé à partir de deux volumes de lait (800 mL et 1 L) pour tenir compte de la consommation croissante du bébé, de la naissance à six mois.

La vitamine D

La vitamine D est ajoutée en quantité suffisante aux laits «maternisés» et au lait «concentré» (voir tableau 15); elle est, par contre, très peu présente dans le lait humain. Malgré cette lacune du lait humain, très peu de bébés nourris au sein souffrent de «rachitisme», soit de la maladie directement reliée à une déficience de la vitamine D. Il semble néanmoins prudent, de recommander un supplément de vitamine D au bébé allaité, 3, 4, 5, 6, 12, 15, 16.

Vu la rareté sur le marché de suppléments contenant exclusivement de la vitamine D, un supplément de type «Tri-vi-sol» est recommandé aux bébés allaités dès la deuxième semaine de vie.

Les bébés nourris aux autres laits recommandés (chapitre VII) n'ont aucunement besoin de supplément de vitamine D.

---

15. Apport quotidien en vitamine D avant 6 mois

Menu quotidien	Contribution quotidienne	
	800 mL (26 oz)	1 ℓ (31 oz)
Lait humain	30 UI	40 UI
Lait maternisé (Enfalac, Similac, SMA)	320 UI	400 UI
Lait concentré (Carnation ou Crino, évaporé, dilué et sucré)	380 UI	470 UI
Besoins du nourrisson (2)	400 UI par jour	
Supplément: (Tri-vi-sol)	400 UI dans 0,6 mL (posologie habituelle)	
(Tri-vi-flor)	200 UI dans 0,3 mL (posologie recommandée)	

La vitamine C

La vitamine C est présente en quantité suffisante dans tous les laits recommandés aux nourrissons. Un supplément n'est donc pas nécessaire.

Un bébé nourri avec du lait de vache frais (lait non recommandé) *a par contre besoin d'un supplément de vitamine C.*

Les bébés allaités qui prennent un supplément de trois vitamines afin d'obtenir la vitamine D retirent peut-être des bénéfices de la vitamine C supplémentaire puisqu'elle favorise l'absorption du fer contenu dans le lait maternel[8].

16. Apport quotidien en vitamine C avant six mois

Menu quotidien	Contribution quotidienne	
	800 mL (26 oz)	1 ℓ (31 oz)
Lait humain	34 mg	43 mg
Lait maternisé (Enfalac, Similac, SMA)	44 mg	55 mg
Lait concentré entier (Carnation, Crino, évaporé, dilué et sucré)	65 mg	80 mg
Besoins du nourrisson (2)	20 mg par jour	
Supplément: (Tri-vi-sol)	30 mg dans 0,6 mL (posologie habituelle)	
(Tri-vi-flor)	15 mg dans 0,3 mL (posologie recommandée)	

La vitamine A

Les besoins en vitamine A du bébé sont largement comblés par le menu lacté quel qu'il soit (tableau 17); le supplément ne fournit qu'une quantité additionnelle non requise, mais qui, administrée selon la dose prescrite, ne fait aucun tort au bébé. On peut toutefois se demander pourquoi elle est toujours présente dans ces suppléments puisqu'elle correspond très rarement à un besoin chez le nourrisson[9].

17. Apport quotidien en vitamine A, avant six mois

Menu quotidien	Contribution quotidienne	
	800 mL	1 ℓ
Lait humain	1600 UI	2000 UI
Lait maternisé		
(Enfalac, Similac, SMA)	2000 UI	2500 UI
Lait concentré entier,		
(Carnation, Crino,		
évaporé, dilué et sucré)	2000 UI	2400 UI
Besoins du nourrisson (2)	1400 UI par jour	
Supplément: (Tri-vi-sol)	2500 UI dans 0,6 mL	
	(posologie habituelle)	
(Tri-vi-flor)	1250 UI dans 0,3 mL	
	(posologie recommandée)	

Les vitamines B

Certains suppléments (Ostoco, Infantol) renferment des vitamines du complexe B (thiamine, riboflavine, niacine et vitamine B6) en plus des vitamines A, D et C. Ces vitamines sont rarement nécessaires puisque le bébé en reçoit une dose suffisante par l'intermédiaire du lait maternel, du lait maternisé ou du lait concentré entier dilué et sucré.

Une quantité additonnelle de vitamine B peut exceptionnellement[9] être bénéfique au bébé allergique au lait, buvant une formule à base de soya; dans un cas semblable, le médecin est le meilleur conseiller.

Le fluor

Malgré une réputation plutôt controversée, le fluor demeure un élément nutritif particulièrement utile au cours des jeunes années. Son action marquée au moment de la formation des dents épargne bien des heures de douleur sur la chaise du dentiste, car le fluor rend l'émail des dents plus résistant aux agents cariogènes. On dit même que la consommation régulière d'eau fluorée peut réduire l'incidence des caries dentaires de 50 à 60%.

La présence naturelle de fluor étant assez limitée dans la plupart des aliments, la fluoration de l'eau potable constitue le meilleur moyen de procurer du fluor à l'ensemble de la population. Au Québec, la loi 88 adoptée en 1975 rend obligatoire la fluoration de l'eau potable dans les municipalités qui ont une usine de filtration; à l'heure actuelle, plusieurs municipalités ajoutent des fluorures à leur eau (tableau 19), tandis que d'autres résistent à la législation. Un troisième groupe de municipalités jouissent d'une eau naturellement fluorée (tableau 20).

En attendant que l'eau soit fluorée partout, les bébés qui n'habitent pas une municipalité où l'eau est fluorée ont avantage à recevoir un supplément de fluor après six mois[10,11,12]. L'action du fluor s'exerçant principalement au moment de l'apparition des dents, le supplément ne semble pas nécessaire ni bénéfique avant six mois mais le bébé peut le prendre sans danger dès la deuxième semaine de vie si, comme c'est souvent le cas, on le lui prescrit.

Un supplément du type «Karidium» contient exclusivement du fluor, et une dose de deux gouttes par jour (0,25 mg) satisfait les besoins du bébé, après six mois ou avant, selon le médecin.

Le fer

Le fer fait partie de l'héritage nutritionnel que l'enfant reçoit à la naissance. Comme tout héritage, celui-ci, amassé pendant les trois derniers mois de grossesse, n'est pas identique chez tous les nourrissons! Le bébé de poids normal, ayant bénéficié de la transfusion placentaire avant la ligature du cordon sur la table d'accouchement, jouit d'une réserve maximale de fer pendant au moins quatre mois après la naissance. Le bébé né prématurément après sept ou huit mois de grossesse a généralement épuisé ses réserves de fer au bout de deux mois[13]. On ne peut donc pas traiter tous les bébés de la même façon.

On sait par contre qu'en plus de cet héritage, le bébé reçoit du fer dès la naissance par l'intermédiaire du lait qu'il boit.

- *Le lait maternel* lui donne une petite quantité de fer, mais ce dernier est cinq fois mieux absorbé que celui du lait de vache ordinaire ou des laits maternisés «non enrichis». C'est pourquoi le lait maternel contribue à augmenter le capital de fer du bébé et peut répondre totalement à ses besoins pendant au moins six mois lorsque le menu ne contient pas d'aliments solides[14].

- *Le lait maternisé* (Enfalac, Similac) «non enrichi» donne peu de fer, mais il suffit à répondre aux besoins du bébé de poids normal né à terme, jusqu'à l'âge de quatre mois. Lorsque le lait maternisé est «enrichi de fer» (Enfalac avec fer, Similac avec fer ou SMA), il satisfait tous les besoins en fer du bébé jusqu'à ce que celui-ci change de lait.

- *Le lait concentré entier* (Crino, Carnation), dilué et sucré, renferme peu de fer, mais peut répondre aux besoins du bébé de poids normal né à terme, jusqu'à l'âge de quatre mois.

Pour résumer cette question, disons que règle générale:

1. *le bébé de poids normal à la naissance et nourri exclusivement au lait maternel pendant six mois, sans addition d'aliments solides, n'a pas besoin de supplément de fer avant six mois;*

2. *le bébé de poids normal à la naissance, nourri jusqu'à six mois au lait maternisé «enrichi de fer» (Enfalac avec fer, Similac avec fer ou SMA) n'a aucun besoin de supplément de fer;*

3. *le bébé de poids normal à la naissance, nourri au lait maternisé «non enrichi de fer» (Similac, Enfalac) ou au lait concentré entier (Crino, Carnation) dilué et sucré, a besoin de fer additionnel vers l'âge de quatre mois. Si ce bébé commence vers quatre mois à manger des céréales pour bébé enrichies de fer, il n'a pas besoin*

d'avoir recours à un autre supplément. Sinon, 0,3 mL de Fer-in-sol peut lui procurer 7,5 mg de fer par jour.

---

18. Suppléments nécessaires avant six mois pour bébé de poids normal, né à terme

Élément nutritif	Lait maternel	Lait maternisé non-enrichi de fer (Similac, Enfalac)	Lait maternisé enrichi de fer (Similac avec fer, Enfalac avec fer, SMA)	Lait concentré entier (Crino, Carnation)
Vitamine D	supplément à 2 semaines 400 UI/jour	pas nécessaire	pas nécessaire	pas nécessaire
Vitamine C	pas nécessaire	pas nécessaire	pas nécessaire	pas nécessaire
Vitamine A	pas nécessaire	pas nécessaire	pas nécessaire	pas nécessaire
Fluor	pas nécessaire	pas nécessaire	pas nécessaire	pas nécessaire
Fer	pas nécessaire	supplément nécessaire après 4 mois (5 mg - jour) ou céréales pour bébé enrichies de fer	pas nécessaire	supplément nécessaire après 4 mois (5 mg - jour) ou céréales pour bébé enrichies de fer

Bien entendu, on ne peut fixer de règle générale pour les petits bébés à la naissance ni pour les bébés nés prématurément. Le médecin est le meilleur conseiller.

La situation de six à dix-huit mois

Le bébé qui incorpore graduellement à son menu des céréales pour bébé enrichies de fer, des légumes, de la volaille, du poisson ou de la viande (des légumineuses, s'il est végétarien) et des fruits, reçoit tous les éléments nutritifs dont il a besoin, à condition de maintenir une bonne consommation de lait. Un tel bébé n'a pas besoin de suppléments, sauf de fluor si la municipalité où il habite n'ajoute pas de fluorure à l'eau potable (voir tableau 19). Dans ce cas, on donne deux gouttes de «Karidium» contenant 0,25 mg de fluor, soit la dose quotidienne recommandée jusqu'à l'âge de deux ans.

Si le bébé refuse systématiquement un groupe d'aliments importants, il doit avoir recours à un supplément:

- l'enfant qui boit peu de lait et ne mange aucun produit laitier a besoin d'un supplément de calcium, de vitamines D et B;
- l'enfant «végétalien» qui ne mange ni oeuf, ni lait, ni produit laitier, ni viande, ni volaille, ni poisson, a besoin d'un supplément de vitamine B12 et D:
- l'enfant qui refuse systématiquement tout fruit et légume a avantage à prendre un supplément de vitamines A et C (consulter le chapitre XI pour connaître le rôle des divers éléments nutritifs et les besoins quotidiens de la naissance à six ans).

19. Systèmes de fluoruration fonctionnant au Québec en date de mars 1979
(teneur 1,2 mg/ℓ)
Ministère des Affaires sociales   Division de la fluoruration

Municipalités desservies	Date de mise en marché
Acton Vale	08-78
Bécancour, ville et village, St-Grégoire, Ste-Angèle-de-Laval, Précieux-Sang	08-71
Candiac, Ste-Catherine, St-Constant, Delson	07-78
Crabtree, Sacré-Coeur	11-78
Rock Island, Stanstead Plain	?
Dorval, Dollard-des-Ormeaux, Aéroport international de Montréal	04-57
Farnham, Ange-Gardien	02-68
Île Perrot, Notre-Dame-de-l'île-Perrot, Pincourt	11-78
Joliette, St-Charles-Borromée, Notre-Dame-des-Prairies, St-Paul	07-57
Base militaire (lac St-Denis)	*
La Prairie	*
Chomedey, Laval-des-Rapides (partie) Ste-Dorothée, Laval-sur-le-Lac	06-58
Ste-Rose, Auteuil, Fabreville	62
Macamic	02-78
Secteur St-Benoît (Mirabel)	11-78

Base militaire (Mont-Apica)	*
Pierrefonds, Dollard-des-Ormeaux, Roxboro, Ste-Geneviève, île Bizard	03-78
Pointe-Claire, Beaconsfield, Baie d'Urfé Kirkland, Ste-Anne-de-Bellevue, Dollard-des-Ormeaux (partie)	02-55
Québec, Vanier, St-Gabriel-de-Valcartier	11-78
Roberval	02-79
Rosemère, Lorraine, Bois des Fillions St-Louis-de-Terrebonne	12-78
Rouyn, Noranda	03-79
Ste-Adèle	02-73
Base militaire (St-Jean (FB, CMR))	*
St-Lambert, Brossard, Greenfield Park, ville Lemoyne	01-77
Sorel, Ste-Anne-de-Sorel, St-Pierre, St-Robert, St-Michel-d'Yamaska, St-Ours, Yamaska-Est, Ste-Victoire, St-Gérard-de-Magella	*
St-Romuald, St-Jean-Chrysostome	12-78
Trois-Rivières	09-62
Windsor	10-78
Châteauguay, Mercier	*
Mont-Joli	68

— *: antérieur à mai 1977
— Les dates soulignées nous ont été fournies par les municipalités.

20. Municipalités du Québec dont l'eau est naturellement fluorée

Nom de la municipalité	Comté
Beattyville	Terr. Abitibi
Buckingham, p. sud-est	Papineau
Carignan	Sans comté
Rigaud	Vaudreuil
Rivière Ouelle	Kamouraska
St-Athanase	Iberville
Ste-Brigitte-des-Saults	Nicolet
St-Edouard	Napierville
St-Hugues (paroisse)	Bagot
St-Hugues (village)	Bagot
Ste-Marie-de-Monnoir	Rouville
Ste-Marthe (village)	Vaudreuil
St-Mathieu	Laprairie
St-Méthode	Lac St-Jean O.
St-Zéphirin-de-Courval	Yamaska
St-Simon	Bagot

Bibliographie

Chapitre VIII: Les suppléments avant et après six mois

1. «Les habitudes alimentaires pendant la première année de vie et les besoins de suppléments»,
   Brault-Dubuc, M. La Lettre; *Corporation Professionnelle des diététistes du Québec,* vol. 3, n° 1, hiver 1978
2. Apports nutritionnels recommandés pour les Canadiens, Santé et Bien-être social, Canada 1983
3. « Human milk feeding and vitamin D supplementation-1981 » Finberg, L. Journal of Pediatrics, vol. 99, no 2, août 1981
4. «Nutrient dificiencies in breast-fed infants»,
   Fomon, S.J. et Strauss, R.G.;
   The New England Journal of Medecine,
   vol. 229, n° 7, 17 août 1978

5. «Factor Affecting Human Milk Composition»,
Atkinson, S.A.;
Journal of the Canadian Dietetic Association.
vol. 40, n° 2, juillet 1979

6. «Politique du ministère des Affaire sociales concernant l'alimentation du nourrisson»,
Giroux I.; *Nutrition Actualité,* vol. 3, n° 2, 1979

7. *Introduction of solids in infancy*
Delaney, D.;
The Montreal Children's Hospital, rev. 1977

8. «Need for iron supplementation in infants on prolonged breast feeding»,
Saarinen, U.M.; *The Journal of Pediatrics,* vol. 93, n° 2, août 1978

9. *Infant Nutrition* — Second Edition,
Fomon, S.J.; Saunders, W.B., 1974

10. «Fluoride Supplements for Infants and Preschool Children», Wei, S.H. et coll.;
Journal of Preventive Dentistry, vol. 4, n° 3, mai-juin 1977

11. «Fluoride Supplements: Revised Dosage Schedule»,
Committee on Nutrition, American Academy of
Pediatrics, *Pediatrics,* vol. 63, 150-152, 1979

12. «Infant Feeding: A Statement by the Canadian Pediatric Society Nutrition Committee»,
Canadian Journal of Public Health, vol. 70, novembre-décembre 1979

13. «Iron absorption from infant milk formula and the optimal level of iron supplementation»,
Saarinen, U.M. et coll.;
Acta Peadiatr. Scand. vol. 66, 719-722 — 1977

14. «Diet and iron absorption in the first year of life»
Nutrition Reviews, vol. 37, n° 6, June 1979

15. « Water-soluble Vitamin D in human milk: a myth »
Greer, F.R. et Coll.
Pediatrics, vol 69, no 2, février 1982

16. « Vitamin D of human milk: Identification of biologically active forms »
    Reeve, L.E. et coll.
    American Journal of Clinical Nutrition, vol 36, no 1, juillet 1982

Chapitre IX
Les aliments solides: doucement mais sûrement

Au début du siècle, un bébé ne mangeait aucun aliment solide avant l'âge de 12 mois: c'était l'époque du gros bébé de lait!

En 1976, une vaste enquête faite dans la région de Montréal révèle que 40% des bébés ingurgitent des céréales dès la deuxième semaine et qu'un bébé sur deux consomme de la viande à trois mois et demi[1]. C'est l'époque des bébés «gavés».

Cette introduction «précoce» des aliments solides reflète l'avis de certains médecins puisque très peu de mères improvisent le menu de leur bébé[2]. Deux sondages effectués auprès d'environ 1 000 médecins de la Colombie britannique et du Nebraska rapportent qu'entre 44% et 81% d'entre eux recommandaient, il y a à peine deux ans, l'introduction des solides avant l'âge de deux mois[3, 4].

La situation évolue rapidement, et l'optimisme est de rigueur! Une vaste étude faite récemment sur les habitudes alimentaires de près de 400 bébés des régions de Montréal et de Toronto indique que la majorité des bébés concernés par l'enquête commencent à se nourrir de solides vers l'âge de deux mois[24]. Un net progrès dans la bonne voie!

L'opinion des experts en nutrition infantile du comité de nutrition de la Société canadienne de pédiatrie, des nutritionnistes d'ici, des États-Unis et d'Europe, des ministères concernés est unanime sur la question: «*Il n'y a aucun avantage à donner au bébé des aliments solides avant l'âge de quatre à six mois.*» [5,6,7,8,9,10,11,12,13,14,15 et 16].

Raisons physiologiques, nutritives et anti-allergiques qui motivent l'introduction de solides après quatre à six mois

On note des nuances de quelques semaines en plus ou en moins, dans les directives données un peu partout, mais le message officiel est le même: «*Avant quatre à six mois, l'enfant nourri au lait maternel complété de vitamine D ou de lait maternisé reçoit tout ce dont il a besoin*».

Cette recommandation s'appuie sur plusieurs arguments difficilement contestables!

A. LES ALIMENTS SOLIDES N'ONT AUCUN EFFET SUR LA DURÉE DU SOMMEIL DU BÉBÉ.

Des observations scientifiquement contrôlées ont démontré qu'il n'existe pas de relation entre l'addition d'aliments solides au menu d'un bébé de moins de quatre mois et les heures de sommeil nocturne[17]. Plusieurs bébés nourris exclusivement au lait dorment toute leur nuit, bien avant quatre mois. Le sommeil prolongé reflète le développement neurologique du bébé et n'a rien à voir avec son alimentation.

B. AVANT UN CERTAIN ÂGE, LE BÉBÉ EST INAPTE À AVALER DES SOLIDES.

Avant trois mois, le bébé a très peu de salive, et sa langue est incapable de pousser les aliments vers l'arrière de la bouche. Son réflexe de succion est bien développé, mais celui de «déglutition» n'est pas au point; il avale de peine et de misère les substances plus solides. La coordination neuromusculaire nécessaire pour manger adéquatement des solides est atteinte vers l'âge de 16 à 18 semaines.

C. LE SYSTÈME DIGESTIF DU NOUVEAU-NÉ EST SOUS-DÉVELOPPÉ.

À la naissance, un nourrisson ne possède pas tout «l'équipement digestif» nécessaire pour la digestion d'un bon nombre d'aliments. Le bébé né à terme n'a qu'une fraction des enzymes ou substances digestives normalement à la disposition d'un enfant de six mois ou de deux ans. Avant l'âge de trois ou quatre mois, il n'est absolument pas équipé pour bien digérer les céréales ni les autres féculents et, avant l'âge de quatre à six mois, il n'absorbe qu'une partie des matières grasses mangées[18]. Le bébé qui mange des solides très tôt les assimile partiellement et avec grande difficulté; ce qui reste se retrouve dans ses selles.

D. LE SYSTÈME RÉNAL DU JEUNE BÉBÉ EST IMMATURE.

Le nourrisson de quelques semaines n'est vraiment pas tout à fait fini...: son système rénal est incomplet et très vulnérable aux surcharges alimentaires. Certains aliments solides donnés trop tôt (viande, jaune d'oeuf) imposent un travail supplémentaire aux reins et risquent de causer de sérieux problèmes chez des bébés plus fragiles ou chez des bébés buvant du lait de vache ordinaire dès les premiers mois[19].

E. PLUS LE BÉBÉ EST JEUNE, PLUS LES RISQUES D'ALLERGIE SONT ÉLEVÉS.

Le système d'autodéfense contre les éléments agresseurs du bébé de quatre à huit semaines est incomplet, et les aliments solides peuvent causer des problèmes à ce point de vue.

La production d'anticorps augmente graduellement pendant la première année de vie pour atteindre un sommet vers l'âge de sept mois[19]. Lente et progressive, l'introduction des aliments solides après quatre à six mois réduit les risques d'allergie et demeure particulièrement bénéfique pour les bébés de familles souffrant déjà d'allergies.

F. AVANT QUATRE À SIX MOIS, UN BÉBÉ NÉ À TERME NE MANQUE PAS DE FER.

Le bébé né à terme, nourri «exclusivement» au lait maternel, ne manque pas de fer avant l'âge de six mois[20], tandis que le bébé nourri au lait maternisé (non enrichi de fer) épuise ses réserves vers l'âge de quatre mois.

Les «céréales pour bébés», données après quatre à six mois, contribuent à améliorer le bilan du fer; avant, leur apport est superflu.

G. LES ALIMENTS SOLIDES INTÉGRÉS TROP TÔT AU MENU N'AUGMENTENT PAS SA VALEUR NUTRITIVE.

Malgré ses «immaturités» digestive, rénale ou immunologique, le bébé de quelques mois a acquis un certain mécanisme de satiété; aussi, lorsqu'il reçoit des aliments solides trop tôt, il diminue automatiquement sa consommation de lait.

Pour bien quantifier le phénomène, on a comparé les valeurs nutritives de l'alimentation de nourrissons nourris «exclusivement au lait» et de celle de bébés nourris au «lait et aux solides»; avant trois mois, les deux formes d'alimentation sont équivalentes sur le plan nutritif.

L'alimentation «lait et solides» n'est pas supérieure parce que le bébé qui mange des solides est rassasié plus rapidement et boit moins de lait; les solides *remplacent* le lait au lieu de le compléter et, souvent, (dans le cas des céréales, des fruits et des légumes) sont moins utiles au bébé que le lait.

Pour un même nombre de calories, les solides procurent moins d'éléments nutritifs importants et risquent de diminuer la valeur nutritive du menu total du nourrisson.

H. L'INTRODUCTION LENTE DES SOLIDES PERMET DE RESPECTER L'APPÉTIT DU BÉBÉ.

Vers l'âge de cinq ou de six mois, le bébé s'asseoit avec un soutien et exerce un meilleur contrôle neuromusculaire de sa tête et de son cou.

Il peut manifester sa faim en avançant la tête et sa satiété en la reculant. Avant qu'il puisse faire ces gestes ou donner des messages distincts, l'introduction des solides équivaut quasiment à du gavage[5].

Il ne devient possible de respecter l'appétit du bébé, de favoriser chez lui l'éclosion de bonnes habitudes alimentaires et de lui éviter la suralimentation que lorsqu'il peut clairement exprimer sa faim et sa satiété. Pour l'auteur du présent ouvrage, ce dernier point est très important; il souligne une étape primordiale dans le processus de formation de bonnes habitudes alimentaires.

L'âge idéal pour l'introduction des solides

Entre l'âge de quatre à six mois, l'enfant est non seulement prêt à avaler et à digérer un certain nombre d'aliments, mais il acquiert graduellement la capacité de mastiquer des aliments plus consistants et il a le goût d'expériences nouvelles, côté textures et côté saveurs[20]. Lorsqu'il atteint sa première «moitié d'année», cette possibilité de mastiquer des aliments plus consistants existe malgré l'absence de dents!

Si l'on retarde l'introduction des solides jusqu'à neuf ou dix mois, on risque de perdre les bénéfices de cette période sensible et positive. L'enfant plus vieux résiste aux aliments plus consistants et aux changements; il a plus de difficulté à accepter la nourriture ordinaire et peut «exiger» des purées très longtemps!

Mais si l'on est d'accord sur la période idéale pour l'introduction des aliments solides, il faut toutefois admettre qu'il n'y a pas de date universelle parfaite pour tous les bébés. Chaque bébé est différent et doit être traité comme tel. Peu de critères permettent d'évaluer le moment précis pour un bébé donné; la croissance et le comportement général de celui-ci demeurent les meilleurs indices pour les parents et le médecin traitant.

- **La quantité totale de lait bu dans une journée n'est pas un critère absolu!**

    Le volume de lait varie très souvent d'un enfant à l'autre: le bébé allaité au sein boit habituellement une quantité inconnue de lait; le bébé petit à la naissance boit moins de lait que le bébé plus gros; le bébé de quatre ou cinq mois peut boire 35 ou 40 onces de lait par jour sans problème. En fait, il n'existe pas de règle fixe ni de quantité maximale valable pour tous.

- **Le nombre de tétées par jour peut quelquefois être un indice trompeur.**

    Jusqu'à l'âge de quatre à cinq mois, le bébé boit au moins quatre fois par jour. Si l'on réduit trop rapidement le nombre de tétées à trois par jour, le bébé éprouve beaucoup de difficulté à prendre des quantités suffisantes de lait à chacune; dans ce cas, il manifeste de la faim pour une tétée supplémentaire, et non pour des solides.

- **Les pleurs ne sont pas toujours un signal de faim.**

    L'interprétation des pleurs d'un bébé exige beaucoup de sensibilité et d'intuition parentales, et il semble parfois facile d'attribuer un pleur à la faim plutôt qu'à une autre cause. En ayant recours à la solution «lait ou aliment» en dernier seulement après avoir fait disparaître les sources de malaise les plus communes (couche souillée, mauvaise position, besoin de compagnie, de musique ou de lumière, soif pure et simple), on respecte mieux les divers besoins de l'enfant et on évite de le suralimenter.

Les céréales pour bébés: une nécessité!

La remise en question de plusieurs produits commerciaux préparés pour bébés a quelque peu terni la réputation des «céréales pour bébés». On les accuse de ne pas être essentielles au nourrisson et de toutes contenir du sucre. Mais si l'on considère leur importante contribution nutritive en protéines, en vitamine B et en minéraux[21,22], il est important d'apporter quelques éclaircissements sur leur compte!

Faciles à manger et à digérer parce que pré-cuites et réduites en une fine poudre, ces céréales sont spécialement cuisinées pour répondre aux besoins des bébés et fournissent une quantité importante de fer à une époque où les réserves du bébé tirent à leur fin. Enrichies d'un fer particulièrement utilisable par le système digestif du bébé, calculé en fonction de la capacité d'absorption de celui-ci, elles sont même préférables au gruau et aux autres céréales à grains entiers destinées à la population en général.

Comme elles sont nutritives et difficiles à remplacer par des céréales ordinaires, on recommande parfois de les conserver au menu de l'enfant jusqu'à l'âge de 18 mois[5].

Il est vrai qu'il existe encore sur le marché canadien quelques céréales pour bébé contenant du sucre ajouté, mais elles sont peu nombreuses. En 1977, les principaux fabricants d'aliments pour bébé au pays retiraient le sucre de la majorité des céréales offertes[23]; le consommateur averti peut facilement éviter les «sucrées» en consultant les étiquettes.

---

21. Guide pratique pour l'introduction des céréales

Moment d'introduction: entre 4 et 6 mois

Contribution	• les réserves de fer du bébé tirent à leur fin • les céréales fournissent, en plus du fer, des vitamines B, des protéines

	et des calories addition- nelles devenues nécessaires
Façon de procéder	• commencer par les céréales les moins susceptibles de causer des allergies (riz, orge, soya) • débuter par 1 c. à café d'une céréale, mêlée au lait maternisé ou au lait maternel • donner toujours à la cuillère pour faire travailler les muscles de la bouche du bébé • ne jamais ajouter de sucre • servir la même céréale 4 à 5 jours avant d'en offrir une nouvelle • augmenter graduellement la quantité pour atteindre un maximum d'environ 8 c. à soupe par jour, à la fin de la première année • les *céréales mélangées avec fruit* ne sont pas recommandées

Les légumes: couleurs du menu

Les légumes constituent le deuxième groupe d'aliments solides à incorporer au menu du bébé, un mois après avoir commencé les céréales. Ils apportent couleur, texture, saveur et sont plus facilement acceptés s'ils sont donnés *avant* les fruits. Ils fournissent peu de calories et ajoutent des vitamines, de la fibre alimentaire au menu du nourrisson.

La carotte a toujours beaucoup de succès et peut commencer la ronde! Peut suivre toute la gamme des légumes verts, jaunes ou blancs: haricots verts, courgettes, asperges, pois verts, brocoli, haricots jaunes, courges et chou-fleur.

La pomme de terre vient en dernier, vers l'âge de sept mois, pour compléter les autres légumes, et non les remplacer.

---

22. Guide pratique pour l'introduction des légumes

Moment d'introduction: un mois après avoir commencé les céréales pour bébés

Contribution	• apportent vitamines, minéraux et fibres alimentaires
	• développent le goût du bébé
Façon de procéder	• débuter par *un* légume et donner le même 4 à 5 jours avant d'en intégrer un nouveau
	• donner tous les légumes «séparément» avant de passer à des «mélanges»
	• donner toujours des légumes «cuits»
	• donner sous forme de purée maison ou de petits pots
	• ne jamais ajouter de sel, ni de sucre, ni de gras
	• commencer par 1 c. à café et augmenter graduellement la quantité pour at-

teindre un maximum d'en-
viron 10 c. à soupe par
jour, à la fin de la
première année
- toujours donner à la
cuillère

Les fruits: au dessert

Les fruits stimulent les papilles gustatives du bébé et
sont très faciles à intégrer au menu! Ils fournissent
vitamines, minéraux, fibres alimentaires et sucre permis.
Pomme, poire, banane, pêche, abricot composent un in-
téressant assortiment. Les jus de fruit non sucrés fournissent aussi des vitamines, des minéraux et possèdent une
saveur agréable.

---

23. Guide pratique pour l'introduction des fruits

*Moment d'introduction: 3 à 4 semaines après avoir
intégré les légumes*

Contribution	- vitamines, minéraux et fibres alimentaires
	- saveur et sucre permis...
Façon de procéder	- donner des fruits uniques avant d'offrir des mélanges ou des compotes de plusieurs fruits
	- donner sous forme de purée maison ou de petits pots
	- donner des fruits «*cuits*», sauf pour la banane mûre que l'on peut simplement écraser à la fourchette

- les petits fruits genre fraises, framboises, groseilles ou raisins rouges contiennent des graines qui peuvent occasionner des problèmes; ils doivent être évités jusqu'à l'âge de 18 à 24 mois
- ne jamais ajouter de sucre
- éviter les «desserts» aux fruits
- pour répondre «aux soifs» du bébé, l'eau est préférable au jus de fruit à répétition
- 2 onces de jus de fruit par jour suffisent pour combler les besoins en vitamine C

Viande, volaille, poisson ou substituts complètent le menu

Importantes sources de protéines, ces aliments sont les derniers à incorporer au menu du bébé; plus concentrés en éléments nutritifs que les céréales, les légumes et les fruits, ils sont mieux tolérés par le bébé de plus de six mois.

Plusieurs poissons, comme la morue, l'aiglefin, la sole, le sébaste, la lotte, la goberge, contiennent très peu de matières grasses, ont une saveur délicate et fournissent des protéines d'excellente qualité.

Le foie de poulet, économique et nutritif, peut remplacer occasionnellement la viande et apporte une dose importante de fer.

Les légumineuses cuites et mises en purée ou le *tofu* (fromage de soya) renferment beaucoup de protéines végétales et peuvent assurer la croissance normale du bébé végétarien ou végétalien lorsqu'ils sont complétés de façon adéquate.

Un repas par jour de viande, de volaille ou de poisson satisfait les exigences nutritives du bébé.

24. Guide pratique pour l'introduction de la viande ou d'un substitut

Moment d'introduction: 2 à 3 semaines après avoir intégré les fruits, pour ne pas incorporer plus d'un type d'aliment en même temps

Contribution	• excellente source de protéines
	• viande, foie et légumineuses, riches en fer
	• volailles et poissons contiennent moins de matières grasses que la viande
Façon de procéder	• débuter par les viandes blanches, (poulet, dinde) ou les poissons
	• donner sous forme de purée maison ou de petits pots (purée de viande pure, non mélangée)
	• au début, ne pas mélanger avec les légumes pour favoriser la perception des saveurs
	• ne jamais ajouter de sel

- commencer par des petites quantités pour atteindre un maximum d'environ 6 c. à soupe par jour, à la fin de la première année
- le bébé végétarien peut remplacer la viande par du fromage *cottage,* du *tofu* ou des légumineuses cuites mises en purée
- servir ce groupe d'aliments au repas du midi, de préférence

Les autres aliments: jaune d'oeuf, yogourt, etc.

- *Le jaune d'oeuf:* dur et tamisé en petite quantité dans une purée de légumes ou de viande, le jaune d'oeuf est incorporé au menu le même mois que la viande ou les substituts. Il fournit des protéines, des vitamines et des minéraux, mais n'est plus considéré comme une bonne source de fer.

On commence par une cuillerée à café (5 mL) par jour, au repas du midi de préférence, et on augmente graduellement, pour atteindre un maximum de trois jaunes d'oeufs par semaine, vers l'âge de 12 mois. Cet aliment n'est pas essentiel et peut être éliminé du menu dans une famille «à risque», ayant un taux de cholestérol sanguin élevé.

- *L'oeuf complet:* le blanc d'oeuf pouvant causer plus d'allergies que le jaune, l'oeuf complet est incorporé au menu à la fin de la première année, vers l'âge de 11 à 12 mois, lorsque le bébé a un meilleur système d'anticorps.

Après un an, l'oeuf complet, poché ou à la coque, peut être offert quatre fois par semaine sans problème; comme il

143

est facile à digérer, on le sert au repas du soir, entouré de légumes biens colorés. Une fois l'oeuf complet intégré au menu, le jaune d'oeuf servi seul n'a plus son utilité et disparaît de l'alimentation du bébé.

- *Le yogourt:* lorsque le bébé mange des aliments variés (céréales, légumes, fruits et viande ou substituts), on peut lui présenter du yogourt. L'idéal est de commencer par un yogourt «nature», commercial ou fait à la maison, sans addition de sucre ni de fruits (moins suret, le yogourt fait à la maison est facilement accepté.)

Lorsque le bébé a fait connaissance avec la vraie saveur du yogourt «nature» et que son appétit augmente, on peut occasionnellement y ajouter des morceaux de fruits écrasés (banane mûre, compote de pommes non sucrée, poire pochée, etc.).

Depuis le printemps 79, on trouve sur le marché des yogourts aux fruits en «petits pots» pour bébés; indéniablement moins sucrés que les yogourts aux fruits habituels, ces yogourts en petits pots n'offrent toutefois pas les bénéfices de la culture lactique puisqu'ils sont stérilisés.

- *Le miel: pas avant 1 an:* depuis 1975, on a rapporté plus de 100 cas de botulisme infantile aux États-Unis et plusieurs morts subites de bébés, reliées à ce problème. Une analyse d'une centaine d'aliments effectivement ou vraisemblablement mangés par les bébés concernés a révélé que seul le miel contenait des spores botuliniques et que ces spores pouvaient entraîner des morts subites chez de très jeunes enfants[25,26,27].

Ces observations ont incité l'Association des producteurs de miel de Sioux en Iowa à mettre le public en garde contre l'utilisation de miel dans l'alimentation de l'enfant avant un an; après cet âge, l'organisme peut combattre l'action des spores, s'ils se présentent.

Le miel n'a donc pas sa place au menu du bébé, avant 12 mois.

144

- **Les jus de fruits:** à l'époque de l'introduction des fruits, le bébé peut également commencer à boire du jus de fruit. Le jus de pomme est le premier à offrir puisqu'il ne risque pas de causer des allergies; le jus d'orange arrive au menu par la suite.

Les jus de fruits sont offerts au bébé à la température de la pièce; ils ne sont jamais bouillis, car la chaleur détruit facilement la vitamine C, et sont servis dans une tasse à bec ou un petit verre de préférence à un biberon. Deux onces de jus suffisent pour combler les besoins en vitamine C du bébé.

Les cristaux «à saveur de fruits», vendus en sachets de toutes les couleurs, ne contiennent pas l'ombre d'un fruit; ces boissons sont à éviter même si elles contiennent occasionnellement de la vitamine C ajoutée.

- **Les charcuteries:** bacon, viandes salées et moulées, pâtés et saucisses fumées contiennent beaucoup de sel et de gras, et ne sont pas recommandés dans l'alimentation du bébé, particulièrement au cours des 12 premiers mois.
- **Les aliments écrasés à la fourchette:** dès l'âge de six mois, l'enfant est apte à mastiquer et accepte volontiers des aliments plus consistants.

Les purées très lisses sont assez rapidement délaissées pour faire place à des aliments écrasés à la fourchette. De neuf à dix-huit mois environ (voir chapitre XIII) l'enfant accède à une alimentation de transition qui s'apparente, côté variété et texture, au menu du reste de la famille, à quelques exceptions près.

- **Les aliments de dentition:** au cours de la longue période de dentition qui s'échelonne de 4 à 24 mois... certains aliments semblent soulager le bébé, l'aident à mordre et occupent ses gencives endolories. Toast Melba, biscottes, biscuits à l'arrow-root ou biscuits de dentition sont utiles; par contre, sont à éviter, avant que le bébé n'ait atteint au moins 12 mois, les crudités, tels les bâtonnets de carotte ou de céleri: mal mastiqués, ces derniers risquent de l'étouffer.

• **Les aliments inutiles:** les desserts genre poudings, crèmes, gâteaux, biscuits sucrés, bonbons, chocolats et c^{ie} n'ont aucune place au menu du jeune enfant; ces «gâteries» ajoutent des calories, habituent au goût du sucré, nuisent à la valeur nutritive globale du menu en coupant l'appétit de l'enfant et en réduisant la présence d'aliments plus importants.

Le nouveau dossier des petits pots

Ayant été la cible de multiples critiques de la part des nutritionnistes et des consommateurs avertis..., les petits pots ont fait peau neuve au Canada et aux États-Unis.

En 1977, les deux principaux manufacturiers canadiens de produits alimentaires pour bébés ont retiré le sel de tous les aliments en petits pots pour bébés et ont réduit la teneur en sucre de tous les fruits et desserts en petits pots.

Actuellement, sont disponibles dans nos marchés d'alimentation au moins neuf espèces de fruits en petits pots auxquels pas un gramme de sucre n'a été ajouté; citons, entre autres: compote de pommes pour bébés et pour enfants, purée de poires pour bébés et pour enfants, purée de raisins et de pommes pour bébés et pour enfants, purée de pruneaux pour bébés et pour enfants et ananas et poires pour enfants[28].

Face à ces changements bénéfiques pour la formation de bonnes habitudes alimentaires chez nos bébés, il est de mise de féliciter l'industrie et d'ajouter quelques renseignements généraux sur le contenu des petits pots.

— Des féculents dans les petits pots:

Les petits pots contiennent une certaine quantité soit de tapioca, soit de fécule de maïs, soit de farine d'orge ou de riz pour maintenir une consistance acceptable et éviter la séparation des ingrédients. Ces féculents ne nuisent aucunement à la valeur nutritive du produit et ne sont pas contestés par les experts en nutrition de l'enfant, lorsque les quantités sont limitées[29].

D'autres féculents comme le riz ou les nouilles font partie des «préparations aux légumes et à la viande»; ces repas se comparent à certaines recettes maison et ne devraient pas être dénigrés s'ils sont bien intégrés au menu.

— Peu d'additifs dans les petits pots:

Les petits pots ne contiennent ni colorant, ni saveur artificielle; de plus, aucun préservatif n'est utilisé puisque les aliments sont chauffés et scellés à vide dans leur bocal.

Autres substances dans les aliments pour bébés:

Pour bien comprendre les étiquettes des produits pour bébés, une brève explication des termes à «consonance étrange» peut s'avérer utile.

Fer réduit ou fer électrolytique:	toutes les céréales pour bébés sont maintenant enrichies de fer «réduit» appelé aussi fer «électrolytique», sous forme de particules, beaucoup mieux absorbées par le tube digestif du bébé que le fer anciennement utilisé. Ce fer est un des grands atouts des céréales pour bébés et ne se retrouve pas en quantité équivalente dans les céréales à grains entiers destinées à l'ensemble de la population;
Phosphate bicalcique:	depuis plusieurs années, les fabricants ajoutent aux céréales pour bébés du calcium et du phosphore, sous forme de «phosphate bicalcique», pour assurer la croissance des os et des dents en complétant l'action du lait. Cet enrichissement fait par ailleurs l'objet d'un débat à l'heure actuelle;

Acide citrique:	acide de fruit qui permet de réduire le temps de chauffage et qui agit comme antioxydant dans plusieurs desserts et purées de fruits pour bébés;
Acide ascorbique:	antioxydant naturel qui retarde la décoloration des purées de certains fruits, comme les pommes et les poires et leur ajoute de la vitamine C, puisque les mots acide ascorbique sont le terme technique qui désigne la vitamine C;
Lécithine de soya:	émulsifiant naturel qu'on ajoute au Canada depuis 1974 à certaines céréales pour bébés afin d'en faciliter la fabrication et d'en améliorer la texture;
Huile végétale hydrogénée:	huile ajoutée à certaines céréales et à certains desserts pour bébés pour en améliorer la texture et la saveur;
Culture bactérienne	culture lactique essentielle à la fabrication de tous les yogourts; elle est présente dans les yogourts pour bébés, mais son action est grandement réduite par la stérilisation.

La présence de ces substances est contrôlée et limitée par la Loi et les Règlements des aliments et drogues du Canada.

Le contenu nutritif des petits pots:

Lorsqu'on consulte les tables de composition des aliments préparés pour bébés[30,31], on constate que les petits pots renferment des quantités de protéines, de vitamines et de minéraux qui se rapprochent du contenu nutritif des aliments de base utilisés. Les petits pots, bien choisis, sont nutritifs.

Pendant les quelques mois au cours desquels le bébé a besoin d'aliments en purées très lisses, on peut choisir parmi les petits pots:

- les légumes «nature», et non les légumes en crèmes ou additionnés de beurre;
- les fruits ou les mélanges de fruits, et non les «desserts», les crèmes ou les «régals»;
- au moment d'introduire la viande, on offre des viandes en purées, pour passer plus tard aux «dîners» à la viande;
- les préparations aux légumes et à la viande peuvent être occasionnellement servies au repas plus léger du soir.

Le coût des petits pots:

Si on limite la comparaison au coût d'achat des aliments, les «petits pots» coûtent environ *deux fois plus cher* que les «purées maison». Cette différence, vérifiée à plus d'une reprise, vaut pour les fruits, les légumes et la viande et résulte du calcul de la moyenne des prix de plusieurs fruits et légumes frais ou congelés et de plusieurs viandes, volailles et poissons, pouvant servir à la préparation des purées maison.

On ne peut passer sous silence l'investissement dans un mixeur ou un robot, mais le coût d'achat réparti sur plusieurs années de service est bien minime! Qui voudrait s'en passer?

Le temps de préparation des purées maison devrait sans doute être chiffré, mais rares sont les mamans qui comptabilisent les minutes et les heures passées dans la cuisine! La fabrication des purées maison peut de plus se faire en même temps qu'une autre préparation culinaire et passer quasi inaperçue dans l'horaire de la semaine.

Bibliographie

Chapitre IX — Les aliments solides: Doucement mais sûrement

1. «Alimentation du nourrisson canadien-français de la naissance à 6 mois»,
Brault-Dubuc, M.; *Annales,* ACFAS, vol. 44, n° 2, 1977

2. «Mothers compliance with physicians recommendations on infant feeding»,
Morse, W. et coll,; *Journal of American Dietetic Association*, vol. 75, n° 2, août 1979

3. «Physicians' opinions and counselling practices in maternal and infant nutrition»,
Johnson, E.M., Schwartz, N.E.;
Journal of the American Dietetic Association, vol. 78, n°3, septembre 1978

4. «Nebraska physicians' attitudes and practices in the field of infant feeding and nutrition»,
Milton, S.E., Fox, H.M.;
Journal of the American Dietetic Association. vol. 73, n° 4, octobre 1978

5. «Recommendations for feeding normal infants»,
Fomon, S. et coll.;
Pediatrics, 63, n° 1, janvier 1979

6. «The science of infant nutrition and the art of infant feeding»,
Woodruff, G.W.; *Journal of the American Medical Association,* 240, n° 7, 18 août 1978

7. «Early nutrition: its long term role»,
Filer, L.V., *Hospital Practice,* février 1978

8. «Nutrition du nourrisson»,
Brault-Dubuc, M; *Canadian Family Physician,* vol. 24 décembre 1978

9. «Les transitions alimentaires de la première année»,
Barnes, L.A., Dialogues en nutrition infantile, *Health Learning System Inc.,* vol. 1, n° 2, juillet 1977

10. «Maternal and infant nutrition and health in later life»,
Jackson, R.L.; *Nutrition Reviews,* vol. 37, n° 2, février 1979

11. «Infant feeding»,
Statement by the Canadian Pediactric Society Nutrition Committee — *Canadian Journal of Public Health,* vol. 70, nov. déc. 1979

12. «Surveillance, soins et alimentation du nouveau-né normal, conseils aux parents»,
Crumière, C. Satgé, P.; *Le Nouveau-né,* vol. 27, n° 33, juin 1977

13. «Politique du ministère des Affaires sociales du Québec concernant l'alimentation du nourrisson»,
Giroux, I,; *Nutrition Actualité,* vol. 3, n° 2, 1979

14. «Alimentation du nourrisson» — Dossier n° 3;
Comité français d'éducation pour la santé *La santé de l'homme,* 209, mai-juin 1977

15. *Alimentation du nourrisson de la naissance à 1 an,*
Comité de nutrition, Inter D.S.C., régions 03-04, avril 1978

16. *Introduction of solids in infancy*
Delaney, D.; Montreal Children's Hospital, 1977

17. «The onset of sleeping through the night in infancy»,
Greenwalt, E, Bales, F et Guthrie, D.J., *Pediatrics,*
vol. 38, 1966, p. 879

18. «Role of the pancreas in infant nutrition and pancreatic disease in children»,
Labenthal, E; *Nutriton & the M.D.* vol. 18. n° 10, août 1978

19. *Infant nutrition,*
Fomon S.J.; Saunders, 1974

20. «Diet & Iron absorption in the first year of life»,
Nutrition Reviews, vol. 37, n° 6, juin 1979

21. «Trace minerals in commercially prepared baby foods»,
Deeming, S.B., Weber, C.W.; *Journal of American Dietetic Association,* vol. 75, août 1979

22. «Protein quality of home prepared & industrially produced baby foods»,
Abrahamson, L. et coll.; *Nutri. Metabolism,* vol. 21, suppl. 1, 1977

23. Letter to the editor, Aust, R.D.; *Journal of the Canadian Dietetic Association,* vol. 40, n° 2, avril 1979

24. *Early feeding practices, nutrient intake and growth in infants in Toronto and Montreal,*

Yeung, D.L., Heinz Infant Nutrition Update, septembre 1979

25. «Honey ant other environmental risk factors for infant botulism», Arnoon, S.S. et coll.,
    The Journal of Pediatrics, vol. 94, n° 2, février 1979

26. «Commentary: Infant Botulism and the honey connection»,
    Brown, L.W., *The Journal of Pediatrics,* vol. 94, n° 2, février 1979

27. «Number of clostribium botulism spores in honey», Sugiyana, H. et coll.; *Journal of Food Protection,* vol. 41, n° 11, novembre 1978

28. *Services de nutrition pour bébés;* Heinz, juin 1979

29. «Commercial infant foods, content and composition», Anderson, T.A.; *Pediatrics Clinics of North America,* vol. 24, n° 1, février 1977

30. *Aliments Heinz pour bébés — Composition nutritive,* février 1978

31. *Composition of Baby Foods, Raw, Processed, Prepared,* Agriculture Handbook, n° 8, 3 USDA, décembre 1978

Chapitre X
Les purées maison: un nouveau défi

Une enquête faite dans la région de Montréal en novembre 1978 indique qu'une maman sur cinq sert uniquement des purées maison à son bébé tandis que 60% de toutes les mères interrogées préparent régulièrement des purées maison tout en complétant le menu du bébé par des petits pots[1].

Les légumes et les fruits sont les aliments les plus souvent mis en purée; viennent ensuite la volaille, la viande, le foie et le poisson. Le menu du bébé est varié et bien préparé; par contre, on retrouve dans certains cas des aliments trop salés ou trop sucrés. Une autre analyse du contenu en sodium ou en sel des purées maison, faite à Pittsburgh il y a quelques années, a aussi révélé que ces dernières contenaient souvent beaucoup plus de sel que les petits pots disponibles à l'heure actuelle sur le marché[2].

Si l'on veut que les purées maison renferment tous les atouts santé souhaités, il ne faudrait pas répéter les erreurs commises dans le passé par les fabricants de petits pots; on doit surtout surveiller:

le contenu en sel:
1. utiliser de préférence des légumes frais ou congelés sans sel;

2. ne jamais utiliser le liquide de la conserve des légumes;
3. ne jamais ajouter de sel pendant ou après la cuisson des aliments destinés aux bébés.

le contenu en sucre:
1. utiliser de préférence des fruits frais ou congelés sans sucre;
2. toujours jeter le sirop sucré de la conserve des fruits et rincer les fruits en conserve avant de les mettre en purée;
3. éviter d'ajouter du sucre, du miel ou du sirop de maïs aux purées de fruits.

Les avantages des purées maison

Ainsi qu'on l'a vu au chapitre précédent, les petits pots commerciaux ont une valeur nutritive certaine; la soustraction systématique du sel de tous les produits pour bébés et la diminution graduelle du sucre rend ces aliments très acceptables sur le plan santé.

Il y a par ailleurs une réelle économie à réaliser en préparant à la maison des aliments pour bébés; si l'on calcule uniquement le coût d'achat des ingrédients, les purées maison coûtent en moyenne 50% du prix des petits pots.

Sur le plan des saveurs et de la variété, les purées maison ouvrent la porte à une plus vaste gamme de légumes et de poissons et permettent de cuisiner les aliments en saison, toujours si savoureux et vitaminés.

Sur le plan de la valeur nutritive, les purées maison, préparées soigneusement avec de bons aliments et conservées adéquatement au réfrigérateur ou au congélateur, renferment un fort pourcentage des éléments nutritifs contenus dans l'aliment nature. On dit qu'elles sont plus concentrées que les petits pots puisqu'on y ajoute peu ou pas de féculent, et on recommande sagement d'en donner des quantités moindres[3].

Un défi facile!

La décision de faire des purées maison reflète souvent un goût pour la popote en général[4] et aussi la conviction de donner au bébé ce qu'il y a de mieux[1]!

La méthode de préparation proposée n'exige qu'un minimum de temps et de technique culinaire: elle consiste à congeler régulièrement une certaine quantité d'aliments en portions individuelles, ce qui permet d'accumuler de petites réserves d'un certain nombre d'aliments et de contourner la préparation de dernière minute.

L'achat d'un mixeur ou d'un robot facilite la tâche, mais n'est pas essentiel. En réalité, le bébé n'ayant besoin de purées très lisses que durant quelques mois, on peut aussi se servir de la moulinette.

Les règles du jeu

Pour rivaliser avec les qualités des petits pots sur les plans hygiénique et nutritif, il suffit de respecter quelques grands principes. L'énumération peut sembler longue à première vue; une bonne lecture suffit, avant de passer à l'étape des recettes proprement dites.

1. Choisir des aliments de qualité:

La qualité finale des purées reflète en grande partie la qualité des aliments choisis au point de départ; bien sûr, ce principe s'applique à toute recette de cuisine, mais il demeure très important dans le cas des purées pour bébé.

Fruits et légumes «frais» ayant bonne mine, c'est-à-dire possédant les atouts recherchés (maturité, couleur et fermeté), constituent toujours le meilleur choix. Les fruits «en conserve», riches en sucre dans le plupart des cas, et les légumes «en conserve», contenant beaucoup de sel, ne sont pas recommandés pour les purées de bébé; les légumes et les fruits congelés sans sel ni sucre ni assaisonnement ni sauce. et les fruits mis en conserve dans leur jus naturel ou dans du jus de raisin demeurent des choix valables lorsque les légumes et les fruits frais ne sont pas disponibles ou sont simplement inabordables.

Viandes, volailles et poissons doivent également être choisis selon des critères rigoureux de fraîcheur et de qualité. Les poissons congelés sont un choix valable tandis que les poissons «en conserve» contiennent en général trop de sel pour le bébé avant 12 mois.

2. Varier le menu:

Un bébé abonné à la purée de carottes et de pommes de terre six ou sept jours par semaine ne mange pas un menu très varié!... Tous les éléments nutritifs nécessaires à sa croissance et à sa santé ne se retrouvent que dans un assortiment d'aliments. Les aliments nouveaux, les saveurs nouvelles sont facilement acceptables, car c'est une période où l'appétit est vorace et les caprices, presque inexistants... Il faut en profiter!

Les légumes verts et jaunes peuvent alterner au menu tandis que les pommes de terre s'y ajoutent graduellement lorsque l'appétit du bébé augmente. Viandes maigres, volailles et poissons composent tour à tour le repas principal de la journée.

Cette nécessité de varier le menu du bébé n'impose pas pour autant une multiplication des préparations culinaires avant chaque repas. Grâce à l'utilisation du congélateur, les aliments sont préparés lorsque le coeur vous en dit... ou lorsque l'horaire le permet; ils sont ensuite congelés en portions individuelles pour les repas futurs.

3. Suivre quelques règles d'hygiène:

Pour éviter tout risque de contamination des aliments et ménager la résistance aux infections du tout-petit, certaines règles bien simples doivent être respectées:
— bien se laver les mains avant de manipuler les aliments destinées aux purées maison;
— utiliser des ustensiles et des casseroles d'une propreté impeccable;

— bien recouvrir les aliments, une fois cuits, et les réfrigérer aussitôt; ne pas les laisser reposer à la température de la pièce;
— ne pas conserver plus de trois jours au réfrigérateur, lorsque les purées maison sont préparées en petites quantités et non congelées;
— ne pas recongeler une purée maison dégelée.

4. Rassembler les ustensiles requis:

La nourriture solide ou «purée maison» n'étant offerte au bébé qu'entre quatre et six mois, les purées très lisses et sans grumeaux restent au menu seulement quelques mois. Dès l'âge de six à huit mois, la capacité de mastiquer du bébé lui permet de manger aisément des aliments écrasés à fourchette. La personne possédant déjà un mixeur (*blender*) ou un robot (genre Cuisinart) aura la tâche facile. Celle qui ne peut ou ne veut investir dans de tels appareils peut se servir d'un petit moulin manuel, de prix très abordable.

On utilise en outre: casseroles, tasses et cuillères à mesurer, plateaux de cubes de glace individuels, sacs pour la congélation avec attaches (capacité: 1 chopine ou 1 pinte, selon les quantités préparées), mini-plats en aluminium, étiquettes maison.

5. Cuire rapidement les aliments:

La cuisson facilite la digestion des aliments; en outre, lorsqu'elle est bien faite, elle retient la majeure partie des éléments nutritifs. On suggère de faire cuire les légumes à la vapeur ou dans très peu d'eau bouillante pour amoindrir les pertes de vitamines. Une cuisson rapide est préférable à une cuisson prolongée; un légume tendre mais ferme contient plus de vitamine qu'un légume mou et décoloré. Évidemment, les légumes congelés ne sont pas dégelés avant la cuisson, et leur cuisson doit être de courte durée.

On recommande pour la volaille, la viande ou le poisson des cuissons «humides», c'est-à-dire qui utilisent une certaine quantité de liquide. Dans le cas des fruits frais, ils

sont pelés et pochés dans une petite quantité d'eau ou de jus de fruit non sucré, sauf la banane mûre que l'on peut simplement écraser à la fourchette ou réduire en purée à l'aide du mixeur.

Le plus souvent possible, l'eau de cuisson est utilisée pour la préparation des purées, car plusieurs éléments nutritifs présents dans les légumes, les fruits ou la viande se retrouvent dans cette eau après la cuisson.

6. Réduire en purée rapidement:

Les aliments légèrement refroidis après la cuisson sont déposés dans le récipient en verre du mixeur. Selon l'âge du bébé, la consistance de la purée varie, mais on doit éviter de mélanger trop longtemps afin de minimiser les pertes nutritives[10]. Pour une purée plus liquide, on incorpore une plus grande quantité d'eau de cuisson et on mélange de nouveau rapidement.

Règle générale, si les aliments prennent trop de temps à se liquéfier, il peut y avoir insuffisamment de liquide ou, encore, les morceaux d'aliments peuvent être trop gros ou trop nombreux. On met en purée une tasse et demie à deux tasses d'aliments à la fois; dans les cas de la volaille ou de la viande, une tasse (250 mL) suffit. Des quantités supérieures nuisent à la rapidité de l'opération et à la qualité nutritive du produit final.

7. Verser dans des contenants et laisser refroidir:

Une fois la purée terminée, on verse celle-ci dans des contenants de cubes de glace. Chaque cube contient en-

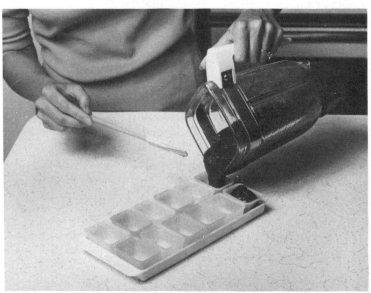

viron deux onces d'aliments. La purée est ensuite refroidie au réfrigérateur avant d'être congelée.

8. Congeler:

Le plateau de cubes refroidis est recouvert d'un papier ciré et placé dans la partie la plus froide du congélateur, loin de la porte. Il faut huit à douze heures pour que la congélation se fasse. Vérifier le tableau indiquant la durée maximale de congélation pour les différentes purées maison.

25. Temps de congélation des purées maison

Aliments	Période de congélation
légumes	6 à 8 mois
fruits	6 à 8 mois
fruits avec tapioca	6 semaines
viandes et volailles cuites	
(poulet, veau,	
boeuf, dinde)	10 semaines
poisson cuit	10 semaines
repas de légumes et	
de viande	10 semaines
purées contenant du lait	4 à 6 semaines

9. Ranger les purées congelées dans des sacs:

Après huit à douze heures, les purées sont congelées et bien rigides; on retire les cubes du congélateur et on les vide rapidement dans de petits sacs de polythène conçus pour la congélation, un par type d'aliments. Il faut ensuite bien attacher le sac, éliminant l'air à l'aide d'une paille, sans oublier d'y coller une étiquette avec le nom de l'aliment et la date de préparation. Après cela, on doit remettre les sacs au congélateur.

10. Retirer un ou deux cubes du sac et réchauffer au bain-marie:

À l'heure du repas de bébé, on n'a qu'à retirer le nombre de cubes désirés, puis à réchauffer légumes et viande ou

volaille au bain-marie; les fruits nécessitent une période de réchauffage moins prolongée.

NOTES: Si on désire préparer une petite quantité d'aliments à la fois, à la dernière minute, on peut le faire en suivant les étapes 1 à 6 inclusivement. La purée versée dans un petit contenant fermé se conserve au réfrigérateur quelques jours seulement; après trois jours, elle ne peut être donnée au bébé sans risque.

Il est fortement recommandé de servir des légumes, des fruits et des viandes nature pour commencer; une fois que le bébé a goûté à toutes les saveurs «uniques», on peut lui offrir des mélanges genre «pommes et poires».

Des recettes
Purée de carottes ✱
Ingrédients
[1 kg] 2 livres de carottes fraîches
eau

Modes de préparation
1. Peler les carottes et couper en morceaux de [2,5 cm] 1 pouce. Déposer dans une petite quantité d'eau bouillante; couvrir et laisser mijoter 20 à 30 minutes ou jusqu'à ce que les carottes soient tendres.
2. Placer 1½ tasse [375 mL] de carottes et ⅓ de tasse [85mL] d'eau de cuisson dans le récipient en verre du mixeur (mélangeur). Mettre en purée. Recommencer avec le reste des carottes. Verser dans les cubes et congeler.

Rendement
2 plateaux de cubes

Période de congélation
6 à 8 mois

Commentaire
Les carottes fraîches sont toujours un meilleur achat que les carottes congelées ou en conserve; elles peuvent être cuites dans l'autocuiseur ou à la vapeur, avant d'être mises en purée. Les carottes ont beaucoup de succès auprès des bébés et demeurent une excellente source de vitamine A.

NOTE: Malgré certaines mises en gardes concernant les purées maison de carottes[5,6,] ce légume n'entraîne aucun problème lorsqu'il est bien préparé, réfrigéré et congelé rapidement, particulièrement lorsqu'il est offert au bébé après l'âge de quatre mois[7,8,9].

x = aime

Purée de haricots verts *

Ingrédients

[*700 g*] *1½ livre de haricots verts frais et tendres*
1 c. à café [*5mL*] *d'oignon émincé (si désiré)*
eau

Mode de préparation

1. Laver les haricots; les équeuter et les trancher en tiers. Déposer haricots et oignon dans une petite quantité d'eau bouillante. Couvrir et laisser mijoter de 20 à 25 minutes ou jusqu'à ce que les haricots soient tendres mais encore bien verts. Retirer du feu et laisser refroidir légèrement.
2. Placer la moitié des haricots cuits et ⅓ de tasse [85 mL] de l'eau de cuisson dans le récipient en verre du mixeur. Mettre en purée. Recommencer avec le reste des haricots.
3. Verser la purée dans les cubes et congeler.

Rendement

2 plateaux de cubes

Période de congélation

6 à 8 mois

Commentaire

Les haricots doivent être jeunes et tendres pour obtenir une bonne purée.

On peut aussi utiliser des haricots congelés pour cette recette.

NOTE: Commencer par préparer les haricots sans oignon, passer au «mariage» de saveurs plus tard.

x = aime

Purée de patates douces (sweet potatoes) ✳

Ingrédients

[700 g] 1½ livre de patates douces
(2 patates moyennes)
eau

Mode de préparation

1. Peler et trancher les patates en tranches de [2 cm] ¾ de pouce environ. Déposer dans 1 ½ tasse [375 mL] d'eau bouillante; laisser mijoter 30 à 45 minutes, jusqu'à ce que les patates soient tendres. Retirer du feu et refroidir légèrement.
2. Placer 1 tasse [250 mL] de patates cuites et ½ tasse [125 mL] d'eau de cuisson dans le récipient en verre du mixeur. Mettre en purée. Recommencer avec le reste des légumes. Verser dans les cubes et congeler.

Rendement

2 plateaux de cubes

Période de congélation

6 mois

Commentaire

La patate douce est le légume «bonbon» contenant beaucoup de vitamine A.

Purée de betteraves*

Ingrédients

[500 g] 1 livre de betteraves (environ 6 petites betteraves)
eau

Mode de préparation

1. Laver les betteraves, couper les tiges à [5 cm] 2 pouces du légume; laisser la pelure.
2. Placer dans 1 tasse [250 mL] d'eau bouillante. Laisser mijoter de 30 à 60 minutes ou jusqu'à ce que les betteraves soient tendres (l'âge et la grosseur des betteraves font varier le temps de cuisson). Retirer du feu, égoutter et laisser refroidir légèrement.
3. Peler et trancher les betteraves cuites. Placer dans le récipient en verre du mixeur; ajouter ¼ à ⅓ de tasse [60 à 85 mL] d'eau fraîche, et non l'eau de cuisson. Mettre en purée. Verser dans les cubes et congeler.

Rendement

1 plateau de cubes

Période de congélation

6 mois

Commentaire

On peut également faire cuire les betteraves entières dans l'autocuiseur ou à la vapeur avant de les mettre en purée; on peut utiliser les betteraves en conserve, bien égouttées. Lorsque l'on sert des betteraves, une bavette pour bébé et maman... rend de grands services.

* Servir ce légume après 6 mois, occasionnellement seulement.

Macédoine de légumes

Ingrédients

*2 tasses [500 mL] de légumes mélangés (4 carottes,
4 panais)*

*2 tasses [500 mL] de pommes de terre moyennes pelées
et tranchées*

eau

Mode de préparation

1. Peler et couper en morceaux les légumes choisis;
   déposer tous les légumes, sauf les pommes de
   terre, dans 1 tasse [250 mL] d'eau bouillante.
   Laisser mijoter 10 minutes. Ajouter les pommes de
   terre et laisser mijoter jusqu'à ce que tous les
   légumes soient tendres (20 minutes environ).
   Retirer du feu et laisser refroidir légèrement.

2. Placer dans le récipient en verre du mixeur 1 tasse
   [250 mL] de légumes cuits et environ ⅓ de tasse [85
   mL] d'eau de cuisson. Mettre en purée. Recommencer avec le reste des légumes. Verser dans des
   cubes et congeler.

Rendement

2 plateaux de cubes

Période de congélation

6 mois

Commentaire

On peut remplacer les carottes et les panais par du
navet, du rutabaga ou par un autre tubercule.

NOTE: Ces légumes sont servis après que le bébé a
goûté à tous les légumes non mélangés.

Purée de courge

Ingrédients

1 courge, type courgeron
eau

Mode de préparation

1. Faire cuire la courge entière dans un four à [180°C] 350°F pendant environ 1½ heure. Après la cuisson, la couper en deux, éliminer les graines et retirer la chair du légume.
2. Placer dans le récipient en verre du mixeur la chair cuite de la courge, un peu d'eau (¼ de tasse [60 mL] ou plus). Mettre en purée. Verser dans les cubes et congeler.

Rendement

1 plateau de cubes ou plus, selon la grosseur de la courge

Période de congélation

6 mois

Commentaire

On peut utiliser des courges congelées pour cette recette. Toute la famille des courges fournit une bonne quantité de vitamine A.

Purée de courge et de pommes

Ingrédients

1½ tasse [375 mL] de courge (fraîche) coupée en morceaux
3 à 4 pommes, pelées et tranchées
eau

Mode de préparation

1. Placer les pommes et les morceaux de courge dans 1 tasse [250 mL] d'eau bouillante. Laisser mijoter 25 à 30 minutes ou jusqu'à ce que les pommes et les morceaux de courge soient tendres. Retirer du feu et laisser refroidir légèrement.
2. Mettre dans le récipient en verre du mixeur, la moitié du mélange cuit pomme-courge et ⅓ de tasse [85 mL] d'eau de cuisson. Réduire en purée. Recommencer avec le reste des ingrédients. Verser dans les cubes et congeler.

Rendement

2 plateaux de cubes.

Période de congélation

6 mois

Commentaire

Façon agréable de manger les courge: ce légume est une excellente source de vitamine A.

x: aime

Purée de courgettes *

Ingrédients
[*700 g*] *1½ livre de petites courgettes tendres (7 à 8 petites)*
eau

Mode de préparation
1. Peler et trancher les courgettes. Déposer dans 1 tasse [250 mL] d'eau bouillante ou dans une marguerite. Laisser mijoter doucement environ 15 minutes. Retirer, bien égoutter et laisser refroidir légèrement.
2. Placer 1 tasse [250 mL] de courgettes cuites, sans eau de cuisson, dans le récipient en verre du mixeur. Mettre en purée. Recommencer avec le reste des courgettes cuites.
3. Verser dans les cubes et congeler.

Rendement
2 plateaux de cubes

Période de congélation
6 mois

Commentaire
Les courgettes ont une saveur douce et agréable. La purée est d'un joli vert «printemps».

x = aime

Purée d'asperges ✳

Ingrédients

[500 g] 1 livre d'asperges tendres et jeunes (en saison)
eau

Mode de préparation

1. Laver et couper les asperges en morceaux de [5 cm] 2 pouces. Déposer dans environ ½ tasse [125 mL] d'eau bouillante. Laisser mijoter 10 à 15 minutes ou jusqu'à ce que les asperges soient tendres. Retirer du feu et laisser refroidir légèrement.
2. Placer dans le récipient en verre du mixeur la moitié des asperges et un peu d'eau de cuisson. Réduire en purée. Recommencer avec le reste des asperges. Ajouter le beurre ou la margarine à la purée. Verser dans les cubes et congeler.

Rendement

1 plateau de cubes

Période de congélation

6 mois

Commentaire

Un vrai délice pour un repas de printemps...

Purée de chou-fleur
Ingrédients

1 petit chou-fleur
eau
½ tasse [125 mL] de lait entier*

Mode de préparation
1. Défaire le chou-fleur en petits morceaux (petites fleurs). Placer dans 1 tasse [250 mL] d'eau bouillante. Laisser mijoter 15 à 20 minutes ou jusqu'à ce que le chou-fleur soit tendre. Retirer du feu et laisser refroidir.
2. Placer dans le récipient en verre du mixeur 1½ tasse [375 mL] de chou-fleur, un peu d'eau de cuisson et la moitié du lait. Réduire en purée. Recommencer avec le reste des ingrédients. Verser dans les cubes et congeler.

Rendement
2 plateaux, selon la grosseur du chou-fleur

Période de congélation
4 à 6 semaines

Commentaire
Le chou-fleur absorbe beaucoup de liquide durant la cuisson; c'est pourquoi on ajoute du lait au cours de la mise en purée.

Le chou-fleur, comme tous les membres de la famille des choux, est riche en vitamine C.

*Ne pas donner de lait 2% ou écrémé, à un bébé de moins d'un an.

Purée de brocoli ✳

Ingrédients

1 paquet de brocoli «vert» et frais (5 à 6 tiges)
eau

Mode de préparation

1. Couper les tiges et conserver seulement la partie tendre des fleurs pour la purée de bébé (les tiges peuvent être cuites et servies avec un autre légume au reste de la famille).
2. Placer les morceaux de brocoli dans 1 tasse [250 mL] d'eau bouillante. Laisser mijoter 15 minutes ou jusqu'à ce que le brocoli soit tendre, mais encore très vert. Retirer du feu et laisser refroidir légèrement.
3. Placer dans le récipient la moitié du brocoli et ¼ de tasse [60 mL] d'eau de cuisson. Réduire en purée. Recommencer avec le reste du brocoli. Verser dans les cubes et congeler.

Rendement

1 plateau de cubes

Période de congélation

6 mois

Commentaire

Le brocoli très vert et très frais a une saveur douce et agréable. C'est un légume riche en vitamines A et C; il contient également du fer et du calcium.

176

x = aime

Compote ou purée de pommes ✳
Ingrédients

8 à 10 pommes moyennes
eau
cannelle, (au choix)

Mode de préparation
1. Bien laver les pommes; les couper en quartiers, retirer le coeur et trancher. Déposer les pommes dans une casserole avec ½ tasse [125 mL] d'eau. Amener à ébullition, réduire le feu et laisser mijoter environ 20 minutes ou jusqu'à ce que les pommes soient tendres.
2. Retirer du feu et laisser refroidir légèrement.
3. Mettre 2 tasses [500 mL] de pommes cuites dans le récipient en verre du mixeur et réduire en purée jusqu'à ce que les morceaux de pelure soient disparus (si le mixeur n'est pas assez puissant pour broyer complètement les pelures, tamiser après ou peler les pommes avant la cuisson).
4. Recommencer avec le reste des pommes.
5. Ajouter un soupçon de cannelle à la purée, si désiré.
6. Verser dans les cubes et congeler.

Rendement
2 plateaux de cubes

Période de congélation
6 à 8 mois

Commentaire
La durée de cuisson peut varier selon la sorte de pommes utilisées.

x = aime

Purée de poires
Ingrédients

9 à 11 poires moyennes (fraîches)
½ tasse [125 mL] d'eau ou de jus de pommes

Mode de préparation
1. Peler les poires; les couper en quartiers et en retirer le coeur.
2. Déposer les poires dans une casserole avec la demi-tasse [125 mL] d'eau ou de jus de pomme. Laisser mijoter de 20 à 30 minutes jusqu'à ce que les poires soient tendres. Retirer du feu et laisser refroidir légèrement.
3. Placer la moitié des poires cuites dans le récipient en verre du mixeur avec ⅛ de tasse [20 mL] du liquide de cuisson. Mettre en purée. Recommencer avec le reste des poires.
4. Verser la purée dans les cubes et congeler.

Rendement
2 plateaux de cubes

Période de congélation
6 à 8 mois

Commentaire
Si on utilise des poires en conserve, on rince les poires avant de les mettre en purée afin d'éliminer le plus de sucre possible; on ne les cuit pas. Toutefois, on retrouve sur le marché des conserves de poires préparées avec du jus de poire, sans sucre, dont le liquide peut être utilisé pour la purée.

Purée de poires et de pommes ✳

Ingrédients

5 pommes et 5 poires
½ tasse [125 mL] d'eau ou de jus de pomme, environ

Mode de préparation

1. Peler les pommes et les poires; les couper en quartiers et en retirer les coeurs.
2. Déposer dans une casserole avec l'eau ou le jus de pomme et laisser mijoter de 20 à 25 minutes, jusqu'à ce que les pommes et les poires soient tendres.
3. Retirer du feu et refroidir légèrement.
4. Placer la moitié des fruits dans le récipient en verre du mixeur avec environ ¼ de tasse [60 mL] du liquide de cuisson; réduire en purée. Recommencer avec le reste des fruits.
5. Verser dans les cubes et congeler.

Rendement

2 plateaux de cubes

Période de congélation

6 à 8 mois

Commentaire

La quantité de liquide peut varier selon la sorte de pommes et de poires utilisées.

Les fruits simplement écrasés à la fourchette après cuisson se transforment en compote.

Purée de pêches

Ingrédients

4 tasses [1 litre] de pêches fraîches, pelées, dénoyautées et tranchées
⅓ à ½ tasse [85 à 125 mL] d'eau

Mode de préparation

1. Dans une casserole, déposer les pêches et l'eau. Amener à ébullition, réduire le feu et laisser mijoter doucement environ 15 à 20 minutes, jusqu'à ce que les pêches soient tendres.
2. Retirer du feu et laisser refroidir légèrement.
3. Placer 2 tasses [500 mL] de pêches cuites dans le récipient en verre du mixeur et n'ajouter que très peu d'eau de cuisson. Mettre en purée.
4. Recommencer avec le reste des pêches.
5. Verser dans les cubes et congeler.

Rendement

2 plateaux de cubes

Période de congélation

6 à 8 mois

Commentaire

Il faut éviter d'ajouter trop de liquide au moment de la mise en purée. Tout dépend de la variété de pêches. Si on utilise des pêches en conserve, rincer avant de les mettre en purée afin d'éliminer tout le sucre possible. Il n'est pas nécessaire de les cuire avant la mise en purée. Des pêches en conserve dans du jus de raisin, non sucré, sont aussi disponibles sur le marché. Ce liquide peut être utilisé au lieu de l'eau dans la préparation de la purée.

Purée d'abricots

Ingrédients

4 tasses [1 litre] d'abricots frais, dénoyautés et tranchés avec la pelure.
½ tasse [125 mL] d'eau, environ

Mode de préparation

1. Dans une casserole, déposer les abricots et l'eau. Amener à ébullition, réduire le feu. Laisser mijoter environ 15 minutes jusqu'à ce que les fruits soient tendres.
2. Retirer du feu et laisser refroidir légèrement.
3. Placer la moitié des abricots dans le récipient en verre du mixeur avec environ ¼ de tasse [60 mL] d'eau de cuisson. Mettre en purée. Recommencer avec le reste des abricots.
4. Verser dans les cubes et congeler.

Rendement

2 plateaux de cubes

Période de congélation

6 à 8 mois

Commentaire

Comme dans le cas des pêches, il faut éviter d'ajouter trop de liquide lors de la mise en purée.

On peut remplacer 1 partie des abricots par des pommes ou des poires (2 tasses [500 mL] de poires, 2 tasses [500 mL] d'abricots), ou encore utiliser des abricots en conserve bien rincés; ne pas les cuire. Les abricots sont une bonne source de vitamine A.

Purée de pruneaux et de pommes

Ingrédients

> 1½ tasse [375 mL] de pruneaux sans noyau (sac de [350 g] 12 onces)
> 2 tasses [500 mL] d'eau chaude
> 2 tasses [500 mL] de pommes pelées, tranchées, sans coeur
> 1½ tasse [375 mL] d'eau froide

Mode de préparation

1. Faire tremper les pruneaux dans l'eau chaude pendant 5 à 15 minutes; égoutter.
2. Dans un casserole, placer les pruneaux, les pommes et l'eau froide; amener à ébullition; réduire le feu et laisser mijoter environ 20 minutes.
3. Retirer du feu et laisser refroidir légèrement.
4. Placer dans le récipient en verre du mixeur la moitié des pruneaux et des pommes et environ ½ tasse [125 mL] d'eau de cuisson. Mettre en purée. Recommencer avec le reste des fruits.
5. Verser dans les cubes et congeler.

Rendement

2 plateaux de cubes

Période de congélation

6 mois

Commentaire

Cette purée peut s'avérer la potion magique contre la constipation dans le cas d'un enfant qui n'élimine pas régulièrement.

Si les pruneaux ont des noyaux au moment de l'achat, ceux-ci s'enlèvent facilement après les 15 minutes de «trempage».

Écrasés à la fourchette, les fruits prennent la forme d'une compote.

Purée de veau
Ingrédients

[*500 g*] *1 livre de veau maigre, sans os, coupé en cubes*
de [*4 cm*] *1½ pouce*
3 carottes pelées et coupées en morceaux
2 pommes de terre pelées et coupées en quartiers
1 c. à soupe [*15 mL*] *d'oignon émincé*
1 tige de céleri, coupée en morceaux
eau

Mode de préparation
1. Placer tous les ingrédients dans une casserole avec 2 tasses [500 mL] d'eau. Amener à ébullition, réduire le feu; laisser mijoter approximativement 45 minutes ou jusqu'à ce que le veau et les légumes soient tendres. Retirer du feu et laisser refroidir légèrement.
2. Séparer le veau cuit des légumes; déposer 1 tasse [250 mL] à la fois avec ½ tasse [125 mL] du bouillon de cuisson dans le récipient en verre du mixeur. Réduire en purée.
3. Verser dans les cubes et congeler.

Rendement
12 petits cubes

Période de congélation
10 à 12 semaines

Commentaire
Les légumes peuvent également être mis en purée, sans le veau ou avec une petite quantité de celui-ci pour faire un repas de «légumes et veau». Le veau est une viande très chère; elle ajoute de la variété au régime du bébé, mais elle n'est pas indispensable.

$X=$

Purée de boeuf X
Ingrédients

[500 g] 1 livre de boeuf maigre et tendre (haut de ronde, surlonge) coupé en cubes de [2,5 cm] 1 pouce
1 tige de céleri coupée en morceaux
3 carottes pelées et coupées en morceaux
2 pommes de terre moyennes, pelées, coupées en quartiers
1 c. à soupe [15 mL] d'oignon émincé
eau

Mode de préparation
1. Déposer le boeuf et 2¼ tasses [560 mL] d'eau dans une casserole; laisser mijoter environ 45 minutes.
2. Ajouter le céleri, les carottes et les pommes de terre et continuer la cuisson 35 à 40 minutes jusqu'à ce que tous les ingrédients soient tendres. Retirer du feu et laisser refroidir légèrement.
3. Séparer le boeuf des légumes et placer ¾ de tasse [180 mL] à la fois dans le récipient en verre du mixeur avec ⅓ de tasse [85 mL] du bouillon de cuisson. Réduire en purée. Verser dans les cubes et congeler.

Rendement
12 petits cubes

Période de congélation
10 à 12 semaines

Commentaire
Les légumes peuvent être mis en purée avec une petite quantité de boeuf et faire un repas «légumes et boeuf».

Purée de foies de poulet

Ingrédients

5 à 6 foies de poulet
bouillon de poulet non salé (maison)

Mode de préparation

1. Préparer les foies pour la cuisson en coupant et retirant les membranes blanches; couper les foies en deux. Déposer dans une casserole avec 1 tasse (250 mL) de bouillon de poulet non salé. Amener à ébullition, réduire le feu immédiatement; laisser mijoter 5 à 10 minutes, jusqu'à ce que les foies soient cuits (gris brun à l'intérieur). Retirer du feu et laisser refroidir légèrement.
2. Déposer dans le récipient en verre du mixeur quelques foies... à la fois, avec une petite quantité de bouillon de cuisson. Réduire en purée.
3. Verser dans les cubes et congeler.

Rendement

6 cubes

Période de congélation

10 à 12 semaines

Commentaire

Le foie est une excellente source de fer et de protéines. Le foie de poulet a une saveur plus douce que les autres foies; avec un peu de patates sucrées ou un autre légume «favori», c'est un succès assuré.

Purée de poulet

Ingrédients

1 poulet de [1 à 1,3 kg] 2 à 3 livres coupé en 4 ou en 8 morceaux
1 tige de céleri, coupée
1 c. à soupe [15 mL] d'oignon émincé
1 branche de persil
3 carottes pelées et coupées en morceaux
1 pomme de terre moyenne, pelée et coupée en quartiers

Mode de préparation

1. Dans une casserole, déposer le poulet, le céleri, l'oignon, le persil et le sel. Verser 3 tasses [750 mL] d'eau. Laisser mijoter 40 à 45 minutes.
2. Ajouter les légumes (carottes et pomme de terre); laisser mijoter encore 40 à 45 minutes jusqu'à ce que le poulet soit cuit et se détache facilement des os.
3. Retirer du feu et laisser refroidir légèrement.
4. Détacher la chair du poulet des os et couper en petits morceaux. Placer ½ tasse [125 mL] de poulet et ⅓ de tasse [85 mL] de bouillon dans le récipient en verre du mixeur. Réduire en purée. Recommencer avec le reste du poulet.
5. Verser la purée dans les cubes et congeler.

Période de congélation

10 à 12 semaines

Commentaire

On peut facilement remplacer le poulet par la dinde; on peut acheter des moitiés ou des quarts de dinde congelés et les faire cuire de la même façon que le poulet; la dinde est en plus une excellente source de fer.

Les légumes peuvent être mis en purée avec une petite quantité de poulet pour faire un repas «légumes et poulet».

Purée de poisson ✻
Ingrédients

2 filets de poisson blanc (sole, morue, perche de mer, aiglefin) [200 g] 8 onces environ
1 à 2 c. à soupe [15 à 30 mL] d'oignon finement haché
½ tasse [125 mL] de lait entier*

Mode de préparation
1. Dans un poêlon, verser ¼ de tasse [60 mL] de lait et faire chauffer légèrement. Ajouter l'oignon; laisser cuire quelques minutes.
2. Ajouter les filets de poisson. Recouvrir d'un couvercle ou d'un papier aluminium. Laisser cuire à feu doux de 5 à 10 minutes jusqu'à ce que la chair du poisson soit très blanche et qu'elle se défasse à la fourchette. Retirer du feu et laisser refroidir légèrement.
3. Déposer la moitié du poisson et le lait de cuisson dans le récipient en verre du mixeur; mélanger jusqu'à l'obtention d'une purée lisse; ajouter du lait si nécessaire. Recommencer avec le reste du poisson. Verser dans les cubes et congeler.

Rendement
8 cubes

Période de congélation
4 à 6 semaines

Commentaire
Le poisson blanc est une excellente source de protéines; il contient moins de gras que la viande et se prépare plus rapidement que celle-ci. Sa saveur est douce et agréable.
*De pas donner de lait 2% ou écrémé à un bébé de moins d'un an.

Bibliographie

Chapitre X — Les purées maison: un nouveau défi

1. *Enquête sur la préparation à la maison des purées pour bébés,* D.S.C. Maisonneuve-Rosemont, novembre 1978
2. «Sodium concentration of homemade baby foods», Kerr, C.M. et coll.;
   Pediatrics, vol. 62 n° 3, septembre 1978
3. «Commercial infant foods — content and composition», Anderson, T.A.;
   Pediatrics Clinic of North America,
   vol. 24, n° 1, février 1977
4. *The Mother's choice of food for herself and her baby* Abrahamson, L.; *The Mother/Child Dyad — Nutritional Aspects;*
   Almquist, Wiksell International, Suède, 1979
5. «Bébé: petits pots ou purée maison»,
   Tremblay, H.
   Parents d'aujourd'hui, n° 8, mars 1979
6. «Current issues on infant feeding»,
   Thomson, C.A. et coll.;
   Journal of the Canadian Dietetic Association,
   vol. 39, n° 2, juillet 1978
7. «Infantile methemoglobinemia»,
   Keating J.P. et coll.;
   New England Journal of Medecine
   288, n° 16, 19 avril 1973
8. «Une cause nouvelle de méthémoglobinémie du nourrisson: La soupe aux carottes»,
   L'Hirondel et coll.
   Annales de Pédiatrie, vol. 18, 14 octobre 1971
9. *Infant nutrition,* Second edition,
   Fomen, S.J.; Saunders, 1974
10. «Infant feeding»; Canadian Pediatric Society Nutrition Committee, en préparation, *Canadian Journal of Public Health* vol. 70, nov., déc. 1979

Chapitre XI
Quelques fleurs parlent nutrition

Traduire vitamines et minéraux en besoins alimentaires quotidiens n'est pas si compliqué que ça. Pour faciliter la démarche et améliorer la compréhension des divers besoins nutritifs du jeune enfant, ce chapitre présente un dossier résumé de 14 éléments nutritifs.

Chaque fleur dévoile les différents aspects d'un élément nutritif. Le coeur représente le rôle tandis que les pétales indiquent les principaux aliments riches en cet élément; les feuilles soulignent les besoins quotidiens de l'enfant en termes techniques et sous forme de portions d'aliments. Les effets de la cuisson sur l'élément nutritif complètent l'information.

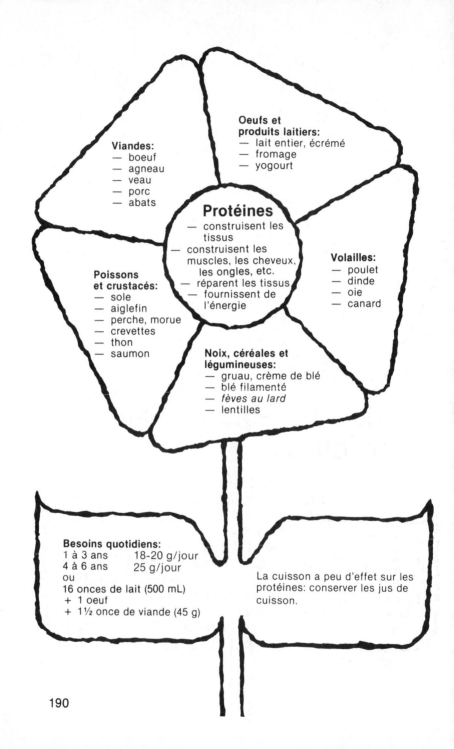

Viandes:
— boeuf
— agneau
— veau
— porc
— abats

Oeufs et produits laitiers:
— lait entier, écrémé
— fromage
— yogourt

Protéines
— construisent les tissus
— construisent les muscles, les cheveux, les ongles, etc.
— réparent les tissus
— fournissent de l'énergie

Volailles:
— poulet
— dinde
— oie
— canard

Poissons et crustacés:
— sole
— aiglefin
— perche, morue
— crevettes
— thon
— saumon

Noix, céréales et légumineuses:
— gruau, crème de blé
— blé filamenté
— *fèves au lard*
— lentilles

Besoins quotidiens:
1 à 3 ans   18-20 g/jour
4 à 6 ans   25 g/jour
ou
16 onces de lait (500 mL)
+ 1 oeuf
+ 1½ once de viande (45 g)

La cuisson a peu d'effet sur les protéines: conserver les jus de cuisson.

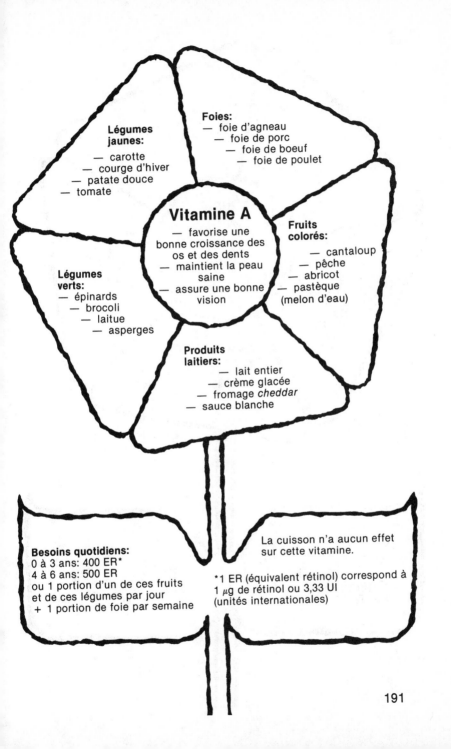

Légumes jaunes:
— carotte
— courge d'hiver
— patate douce
— tomate

Foies:
— foie d'agneau
— foie de porc
— foie de boeuf
— foie de poulet

Vitamine A
— favorise une bonne croissance des os et des dents
— maintient la peau saine
— assure une bonne vision

Fruits colorés:
— cantaloup
— pêche
— abricot
— pastèque (melon d'eau)

Légumes verts:
— épinards
— brocoli
— laitue
— asperges

Produits laitiers:
— lait entier
— crème glacée
— fromage *cheddar*
— sauce blanche

Besoins quotidiens:
0 à 3 ans: 400 ER*
4 à 6 ans: 500 ER
ou 1 portion d'un de ces fruits et de ces légumes par jour
+ 1 portion de foie par semaine

La cuisson n'a aucun effet sur cette vitamine.

*1 ER (équivalent rétinol) correspond à 1 µg de rétinol ou 3,33 UI (unités internationales)

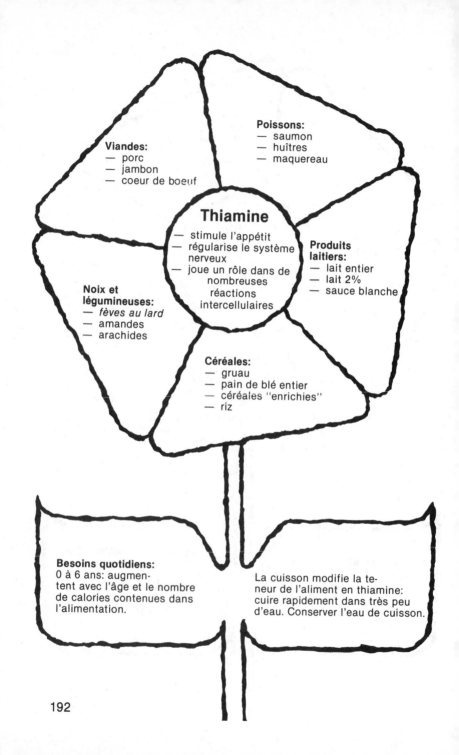

Thiamine
— stimule l'appétit
— régularise le système nerveux
— joue un rôle dans de nombreuses réactions intercellulaires

Viandes:
— porc
— jambon
— coeur de boeuf

Poissons:
— saumon
— huîtres
— maquereau

Produits laitiers:
— lait entier
— lait 2%
— sauce blanche

Noix et légumineuses:
— *fèves au lard*
— amandes
— arachides

Céréales:
— gruau
— pain de blé entier
— céréales "enrichies"
— riz

Besoins quotidiens:
0 à 6 ans: augmentent avec l'âge et le nombre de calories contenues dans l'alimentation.

La cuisson modifie la teneur de l'aliment en thiamine: cuire rapidement dans très peu d'eau. Conserver l'eau de cuisson.

192

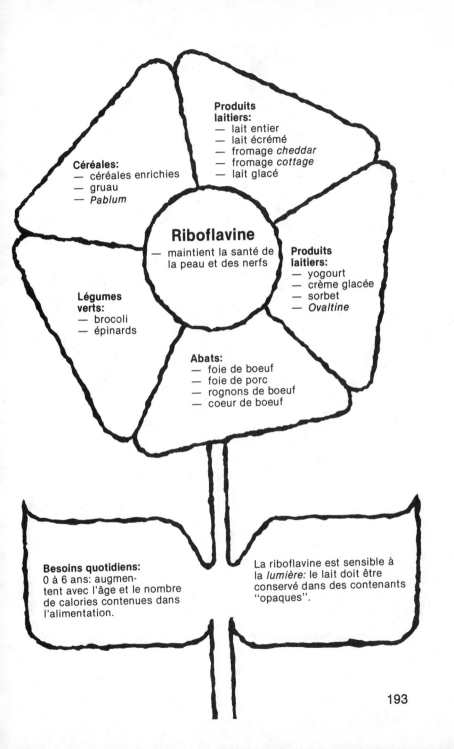

Produits laitiers:
— lait entier
— lait écrémé
— fromage *cheddar*
— fromage *cottage*
— lait glacé

Céréales:
— céréales enrichies
— gruau
— *Pablum*

Riboflavine
— maintient la santé de la peau et des nerfs

Produits laitiers:
— yogourt
— crème glacée
— sorbet
— *Ovaltine*

Légumes verts:
— brocoli
— épinards

Abats:
— foie de boeuf
— foie de porc
— rognons de boeuf
— coeur de boeuf

Besoins quotidiens:
0 à 6 ans: augmentent avec l'âge et le nombre de calories contenues dans l'alimentation.

La riboflavine est sensible à la *lumière:* le lait doit être conservé dans des contenants "opaques".

193

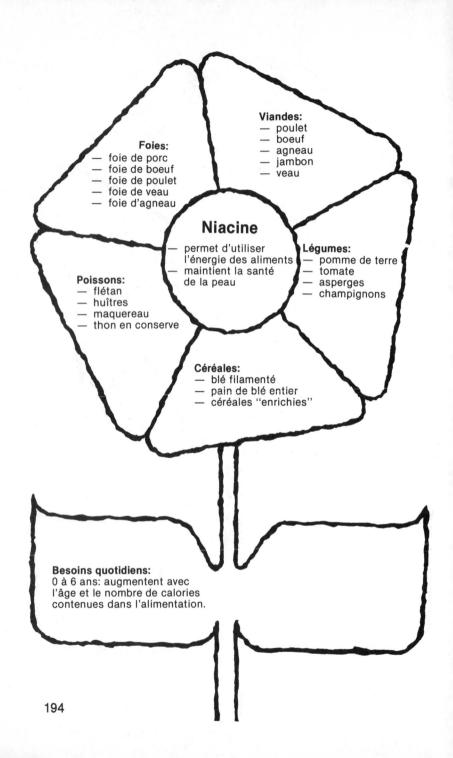

Niacine
— permet d'utiliser l'énergie des aliments
— maintient la santé de la peau

Foies:
— foie de porc
— foie de boeuf
— foie de poulet
— foie de veau
— foie d'agneau

Viandes:
— poulet
— boeuf
— agneau
— jambon
— veau

Légumes:
— pomme de terre
— tomate
— asperges
— champignons

Poissons:
— flétan
— huîtres
— maquereau
— thon en conserve

Céréales:
— blé filamenté
— pain de blé entier
— céréales "enrichies"

Besoins quotidiens:
0 à 6 ans: augmentent avec l'âge et le nombre de calories contenues dans l'alimentation.

194

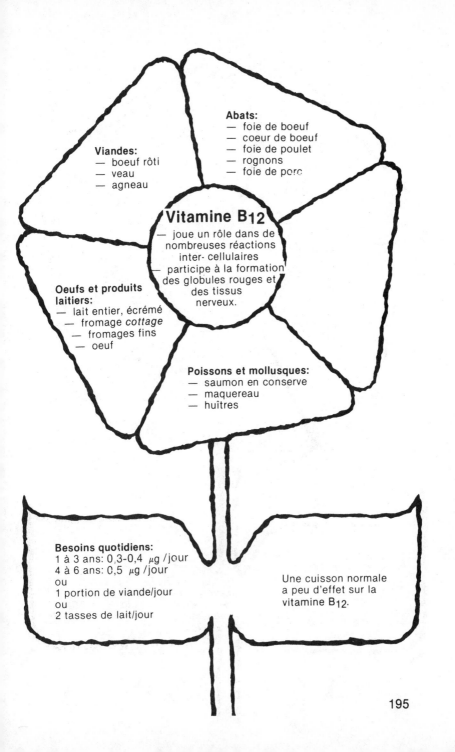

Viandes:
— boeuf rôti
— veau
— agneau

Abats:
— foie de boeuf
— coeur de boeuf
— foie de poulet
— rognons
— foie de porc

Vitamine B$_{12}$
— joue un rôle dans de nombreuses réactions inter-cellulaires
— participe à la formation des globules rouges et des tissus nerveux.

Oeufs et produits laitiers:
— lait entier, écrémé
— fromage *cottage*
— fromages fins
— oeuf

Poissons et mollusques:
— saumon en conserve
— maquereau
— huîtres

Besoins quotidiens:
1 à 3 ans: 0,3-0,4 μg /jour
4 à 6 ans: 0,5 μg /jour
ou
1 portion de viande/jour
ou
2 tasses de lait/jour

Une cuisson normale a peu d'effet sur la vitamine B$_{12}$.

195

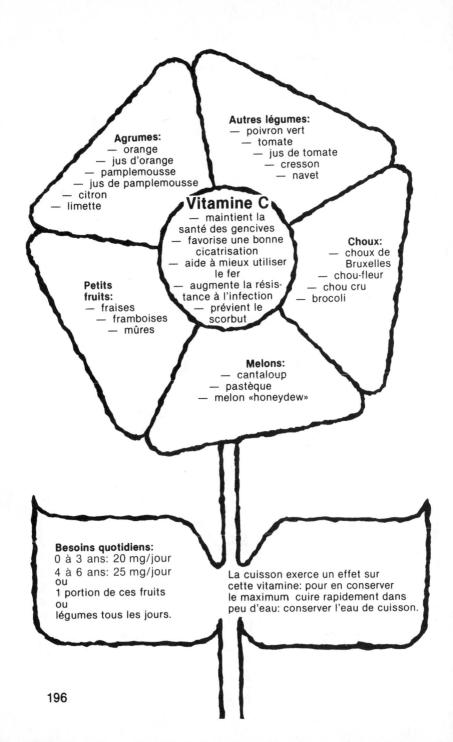

Agrumes:
— orange
— jus d'orange
— pamplemousse
— jus de pamplemousse
— citron
— limette

Autres légumes:
— poivron vert
— tomate
— jus de tomate
— cresson
— navet

Vitamine C
— maintient la santé des gencives
— favorise une bonne cicatrisation
— aide à mieux utiliser le fer
— augmente la résistance à l'infection
— prévient le scorbut

Choux:
— choux de Bruxelles
— chou-fleur
— chou cru
— brocoli

Petits fruits:
— fraises
— framboises
— mûres

Melons:
— cantaloup
— pastèque
— melon «honeydew»

Besoins quotidiens:
0 à 3 ans: 20 mg/jour
4 à 6 ans: 25 mg/jour
ou
1 portion de ces fruits
ou
légumes tous les jours.

La cuisson exerce un effet sur cette vitamine: pour en conserver le maximum cuire rapidement dans peu d'eau: conserver l'eau de cuisson.

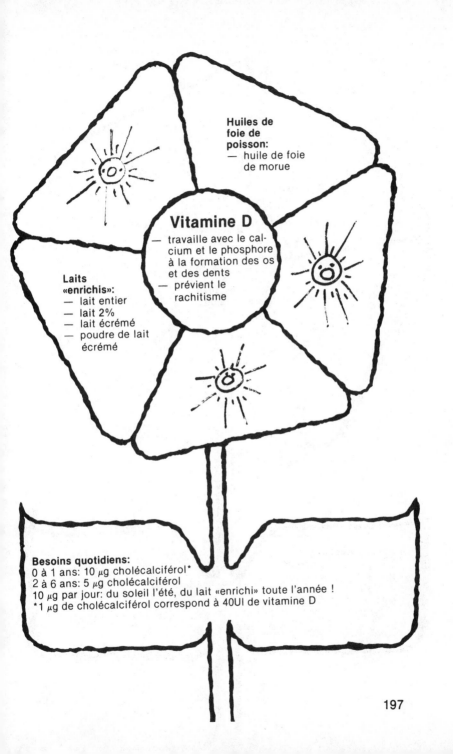

Huiles de foie de poisson:
— huile de foie de morue

Vitamine D
— travaille avec le calcium et le phosphore à la formation des os et des dents
— prévient le rachitisme

Laits «enrichis»:
— lait entier
— lait 2%
— lait écrémé
— poudre de lait écrémé

Besoins quotidiens:
0 à 1 ans: 10 μg cholécalciférol*
2 à 6 ans: 5 μg cholécalciférol
10 μg par jour: du soleil l'été, du lait «enrichi» toute l'année !
*1 μg de cholécalciférol correspond à 40UI de vitamine D

197

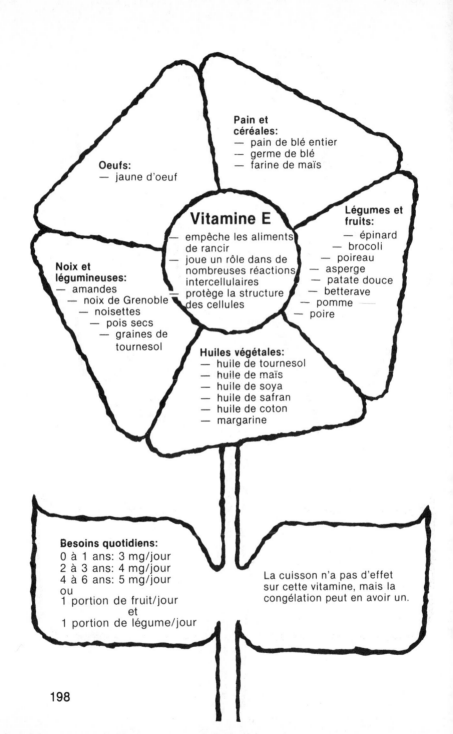

Oeufs:
— jaune d'oeuf

Pain et céréales:
— pain de blé entier
— germe de blé
— farine de maïs

Vitamine E
— empêche les aliments de rancir
— joue un rôle dans de nombreuses réactions intercellulaires
— protège la structure des cellules

Légumes et fruits:
— épinard
— brocoli
— poireau
— asperge
— patate douce
— betterave
— pomme
— poire

Noix et légumineuses:
— amandes
— noix de Grenoble
— noisettes
— pois secs
— graines de tournesol

Huiles végétales:
— huile de tournesol
— huile de maïs
— huile de soya
— huile de safran
— huile de coton
— margarine

Besoins quotidiens:
0 à 1 ans: 3 mg/jour
2 à 3 ans: 4 mg/jour
4 à 6 ans: 5 mg/jour
ou
1 portion de fruit/jour
et
1 portion de légume/jour

La cuisson n'a pas d'effet sur cette vitamine, mais la congélation peut en avoir un.

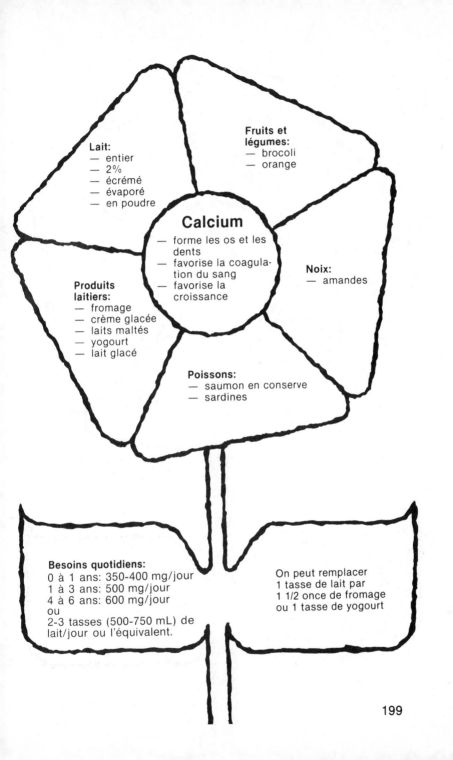

Lait:
— entier
— 2%
— écrémé
— évaporé
— en poudre

Fruits et légumes:
— brocoli
— orange

Calcium
— forme les os et les dents
— favorise la coagulation du sang
— favorise la croissance

Noix:
— amandes

Produits laitiers:
— fromage
— crème glacée
— laits maltés
— yogourt
— lait glacé

Poissons:
— saumon en conserve
— sardines

Besoins quotidiens:
0 à 1 ans: 350-400 mg/jour
1 à 3 ans: 500 mg/jour
4 à 6 ans: 600 mg/jour
ou
2-3 tasses (500-750 mL) de lait/jour ou l'équivalent.

On peut remplacer
1 tasse de lait par
1 1/2 once de fromage
ou 1 tasse de yogourt

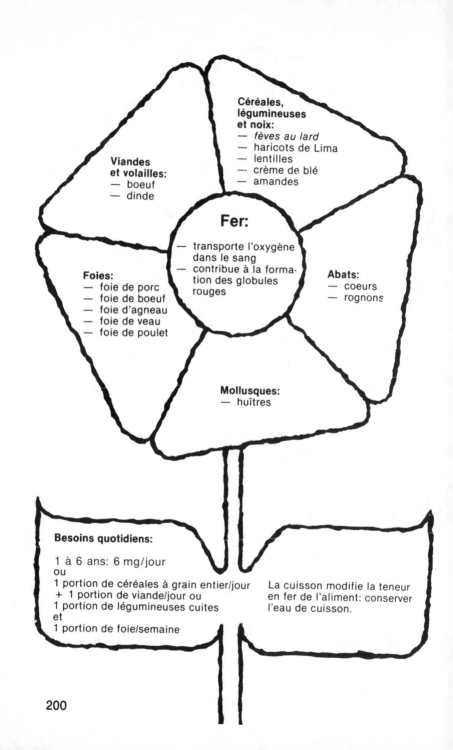

**Viandes
et volailles:**
— boeuf
— dinde

**Céréales,
légumineuses
et noix:**
— *fèves au lard*
— haricots de Lima
— lentilles
— crème de blé
— amandes

Fer:
— transporte l'oxygène
dans le sang
— contribue à la forma-
tion des globules
rouges

Foies:
— foie de porc
— foie de boeuf
— foie d'agneau
— foie de veau
— foie de poulet

Abats:
— coeurs
— rognons

Mollusques:
— huîtres

Besoins quotidiens:

1 à 6 ans: 6 mg/jour
ou
1 portion de céréales à grain entier/jour
+ 1 portion de viande/jour ou
1 portion de légumineuses cuites
et
1 portion de foie/semaine

La cuisson modifie la teneur
en fer de l'aliment: conserver
l'eau de cuisson.

200

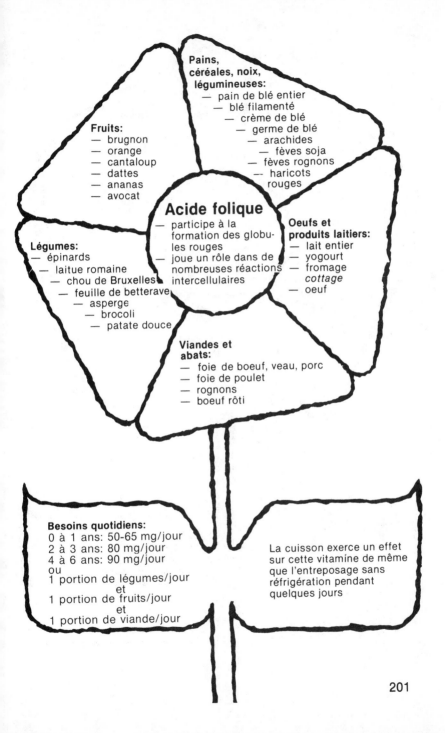

Pains, céréales, noix, légumineuses:
— pain de blé entier
— blé filamenté
— crème de blé
— germe de blé
— arachides
— fèves soja
— fèves rognons
— haricots rouges

Fruits:
— brugnon
— orange
— cantaloup
— dattes
— ananas
— avocat

Acide folique
— participe à la formation des globules rouges
— joue un rôle dans de nombreuses réactions intercellulaires

Oeufs et produits laitiers:
— lait entier
— yogourt
— fromage *cottage*
— oeuf

Légumes:
— épinards
— laitue romaine
— chou de Bruxelles
— feuille de betterave
— asperge
— brocoli
— patate douce

Viandes et abats:
— foie de boeuf, veau, porc
— foie de poulet
— rognons
— boeuf rôti

Besoins quotidiens:
0 à 1 ans: 50-65 mg/jour
2 à 3 ans: 80 mg/jour
4 à 6 ans: 90 mg/jour
ou
1 portion de légumes/jour
et
1 portion de fruits/jour
et
1 portion de viande/jour

La cuisson exerce un effet sur cette vitamine de même que l'entreposage sans réfrigération pendant quelques jours

201

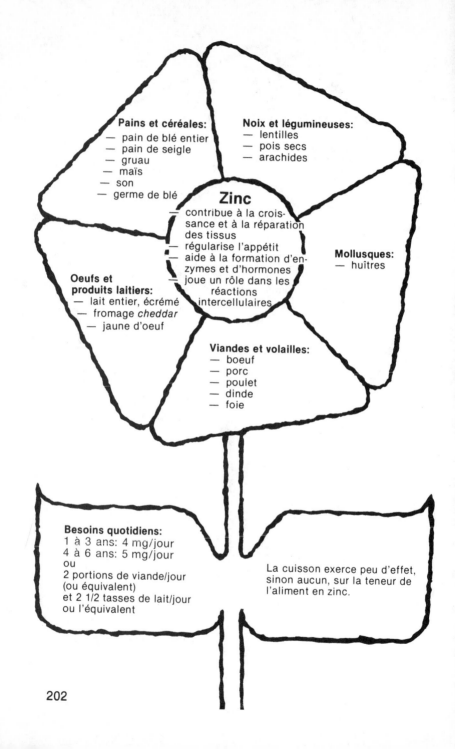

Pains et céréales:
— pain de blé entier
— pain de seigle
— gruau
— maïs
— son
— germe de blé

Noix et légumineuses:
— lentilles
— pois secs
— arachides

Zinc
— contribue à la croissance et à la réparation des tissus
— régularise l'appétit
— aide à la formation d'enzymes et d'hormones
— joue un rôle dans les réactions intercellulaires

Mollusques:
— huîtres

Oeufs et produits laitiers:
— lait entier, écrémé
— fromage *cheddar*
— jaune d'oeuf

Viandes et volailles:
— boeuf
— porc
— poulet
— dinde
— foie

Besoins quotidiens:
1 à 3 ans: 4 mg/jour
4 à 6 ans: 5 mg/jour
ou
2 portions de viande/jour
(ou équivalent)
et 2 1/2 tasses de lait/jour
ou l'équivalent

La cuisson exerce peu d'effet, sinon aucun, sur la teneur de l'aliment en zinc.

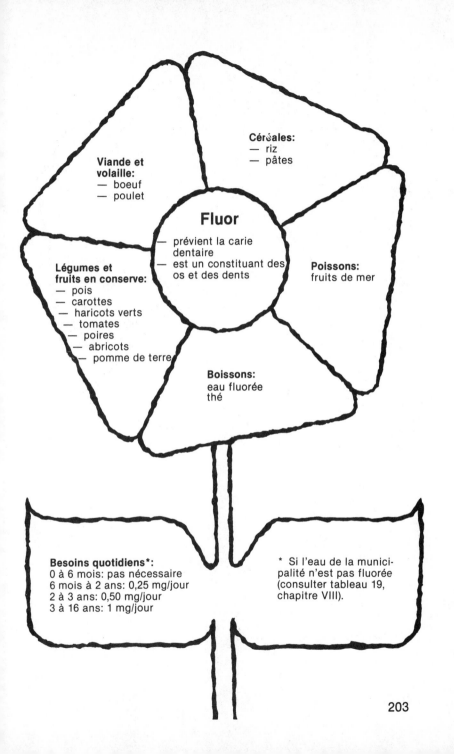

Céréales:
— riz
— pâtes

Viande et volaille:
— boeuf
— poulet

Fluor
— prévient la carie dentaire
— est un constituant des os et des dents

Légumes et fruits en conserve:
— pois
— carottes
— haricots verts
— tomates
— poires
— abricots
— pomme de terre

Poissons:
fruits de mer

Boissons:
eau fluorée
thé

Besoins quotidiens*:
0 à 6 mois: pas nécessaire
6 mois à 2 ans: 0,25 mg/jour
2 à 3 ans: 0,50 mg/jour
3 à 16 ans: 1 mg/jour

* Si l'eau de la municipalité n'est pas fluorée (consulter tableau 19, chapitre VIII).

Chapitre XII
L'alimentation de l'enfant, après neuf mois

L'alimentation du jeune enfant de neuf mois à six ans ne cesse d'intéresser, voire de tourmenter plusieurs parents!

Pauvres de nous! Que de soucis nous nous faisons et que de problèmes nous pouvons grossir à la lueur de nos inquiétudes. Involontairement, nous risquons de nuire au développement harmonieux des habitudes alimentaires de l'enfant en comprenant mal le comportement imprévisible de celui-ci:

— «Notre enfant mangeait si bien à six mois et aujourd'hui à vingt mois, il refuse quasiment tout aliment.»
— «L'heure des repas est devenue la plus compliquée de la journée.»
— «Ma fille de deux ans et demi n'accepte que des sandwiches au beurre d'arachides, jour après jour.»
— «Mon enfant ne mange pas assez.»
— «Mon fiston de trois ans et demi préfère jouer avec ses aliments plutôt que de les manger.»
— «Le mien refuse tout légume.»

Fait surprenant, l'enfant qui ne mange pas assez provoque cinq fois plus de réactions que l'enfant qui mange trop. *Fait alarmant,* il arrive qu'un parent attribue aux aliments un rôle qui dépasse les cadres de l'alimentation; il n'est pas rare de voir des aliments utilisés comme récompense ou comme punition ou d'entendre des marchés conclus autour des aliments!

— «Si tu ne finis pas ta viande, tu n'auras pas de crème glacée.»
— «Tu n'auras pas de dessert parce que tu as fait mal à ta soeur.»
— «Mange tes haricots verts, et tu auras du gâteau.»

Les aliments «récompense» sont presque toujours les desserts, les petits gâteaux ou les bonbons; les aliments «retirés par punition» sont aussi les desserts, les petits gâteaux et les bonbons.

Cette association «sucre-plaisir-récompense» créée de toute pièce par l'environnement de l'enfant, risque d'y demeurer longtemps!

Fait important, le goût des bons aliments s'acquiert autour de la table familiale, et le comportement alimentaire des parents eux-mêmes influence énormément celui de l'enfant.

Le père qui refuse systématiquement brocoli, foie, poisson est très mal placé pour vendre l'idée d'en manger à son enfant... La mère qui ne déjeune pas peut-elle réprimander ses enfants qui veulent l'imiter?

Le plaisir que prend la famille à manger des aliments variés est réellement contagieux et se transmet à l'enfant comme par enchantement! À l'inverse, de nouvelles expériences alimentaires sont rarement faites par un enfant élevé dans une famille qui se nourrit par nécessité de façon monotone et routinière.

Sans nier les variations de l'appétit du préscolaire, on peut contourner la situation avec patience et compréhension. L'acceptation de certains caprices vaut mieux à long terme qu'un affrontement quotidien devant les aliments problèmes.

Le respect de l'appétit de l'enfant et la formation de bonnes habitudes alimentaires entreprise au cours des premiers mois de vie doivent se poursuivre malgré quelques incidents de parcours. Une meilleure compréhension du développement global de l'enfant (physique, moteur et social) facilite l'acceptation des fluctuations d'appétit et des caprices temporaires.

Fait révélateur, plus l'enfant est jeune, plus il est prêt à essayer des aliments nouveaux, comme le démontrent les résultats d'une enquête effectuée au États-Unis: 77% des enfants entre la première et la deuxième année acceptent d'essayer des aliments nouveaux; ce pourcentage baisse à 10% chez les enfants âgés de deux à quatre ans et à 7% chez les enfants de quatre ans et plus.

L'enfant qu'on a habitué à manger des aliments variés durant sa tendre enfance aura d'autant plus de plaisir à diversifier son alimentation tout au long de sa vie.

Il ne faut pas oublier que le comportement alimentaire du préscolaire, ses variations d'appétit, ses caprices dénotent d'un côté un ralentissement de sa croissance et, de l'autre, une affirmation de sa personnalité et de son indépendance.

Le point de vue de l'enfant

L'enfant désire manger quand il a faim; il trouve dans les aliments réconfort et satisfaction physique et émotive.

Il ne vient pas au monde avec des habitudes alimentaires toutes faites; comme nous l'avons vu précédemment, celles-ci se forment lentement mais sûrement au cours des «premières années de vie».

Avec les aliments, l'enfant reçoit des messages qui vont lui permettre de se forger des attitudes, des sentiments à l'égard de la nourriture. Nourri avec amour, il va «aimer» manger; nourri avec impatience et indifférence, il n'aura pas cette attitude positive vis-à-vis des aliments. C'est en partie par les aliments que l'enfant prend contact avec le monde extérieur, lequel devient de plus en plus présent dans sa vie. Vers l'âge de un an, l'enfant exprime clairement ses préférences et réagit devant la texture, la température, la saveur et la couleur des aliments, la grosseur des portions et l'atmosphère du repas. S'il refuse un aliment, c'est que l'un de ces aspects ne lui convient pas!

Ses goûts

Malgré le fait qu'il n'y ait pas deux enfants qui réagissent exactement de la même façon, on retrouve certains points communs chez le préscolaire:

La texture: il aime les aliments à consistance molle; il n'aime pas les aliments secs ni durs. Il raffole des poudings plus liquides que d'habitude, des céréales cuites moins consistantes; il préfère la purée à la pomme de terre en robe-des-champs, le boeuf haché aux côtelettes, le pain frais au pain sec. Ces préférences s'expliquent en partie par le fait que l'enfant de cet âge n'a pas beaucoup de salive, laquelle agit habituellement comme lubrifiant.

La température: il aime les aliments «tièdes», la soupe refroidie, la crème glacée ramollie..., le lait à la température de la pièce, etc.

La saveur: il aime les saveurs douces; il réagit aux moindres nuances de saveur..., lait à peine sur, légumes qui ont collé. Les aliments très épicés et assaisonnés n'ont guère de succès auprès de lui, sauf si le contexte culturel favorise ce genre de mets; le petit italien apprécie l'ail et les oignons avant le petit Canadien français.

La couleur: il aime les couleurs et les contrastes de couleurs. Une assiette «gaie» (poulet, carottes et brocoli) provoque une réaction positive, tandis qu'une assiette «triste» (poisson, purée de pommes de terre et haricots jaunes) n'éveille pas son appétit; elle risque au contraire de l'éteindre! L'enfant (encore plus que l'adulte) mange d'abord avec ses yeux; que ce soit dans l'assiette ou sur la table, les couleurs le fascinent: napperon rouge, serviette rayée, bouquet de persil sur la pomme de terre, rondelle de poivron vert sur les tomates, salade de cantaloup et de raisins verts, autant de façon d'ajouter de la couleur et de satisfaire les yeux des petits.

La grosseur des portions: l'enfant réagit mieux devant une assiette garnie de portions «miniatures»; celle qui déborde le décourage avant de commencer. Mieux vaut lui laisser le plaisir de revenir que l'obliger à remettre une assiette à moitié pleine. Les aliments préparés en petites bouchées sont plus attirants et plus faciles à manipuler. Il faut permettre à l'enfant d'être maître de la situation...

L'atmosphère du repas: une atmosphère calme et déten- due aide l'enfant à bien manger. On doit éviter les bruits «*encombrants*» à l'heure du repas: lessiveuse, sécheuse, ven- tilateur, radio à tue-tête, télévision, etc. L'enfant ne peut pas diviser son attention comme l'adulte; il ne peut faire qu'une chose à la fois; lorsqu'il entend des bruits ou des conversa- tions trop agitées, il oublie de manger. Au contraire, un climat favorable facilite l'acceptation d'un nouvel aliment.

De plus, l'enfant aime voir ce qu'il mange; il inspecte ses aliments. Il peut décomposer un sandwich ou un plat cuisiné afin d'en découvrir la composition. Il résiste aux mélanges, c'est la période des aliments nature, faciles à voir, à manipuler et à manger.

Ses aptitudes

L'évolution chronologique du préscolaire sur les plans moteur, physique et social permet de mieux saisir son com- portement face aux aliments.

26. Aptitudes motrices et sociales du préscolaire

Âge	Habiletés manuelles	Manifestations physiques et sociales
6 à 12 mois	— utilise ses mains	— intéressé à la texture et à la consistance — découvre en reniflant, en renversant...
15 mois	— saisit la cuillère, la dépose dans le plat, mais la remplit inadéquatement — tient la cuillère à l'envers près de la bouche — laisse tomber fréquemment la tasse et la cuillère	— légère diminution de l'appétit — tout passe par la bouche!
18 mois	— boit bien à la tasse, mais la dépose difficilement — tourne la cuillère dans la bouche	— la croissance ralentit — l'appétit diminue considérablement — amour des «rites»
2 ans	— boit dans un petit verre tenu d'une main — dépose la cuillère dans la bouche sans la tourner	— traîne et demande de l'aide — apprend à utiliser le «NON» — âge des caprices et des goûts monotones
3 ans	— peut verser un liquide à l'aide d'un petit pot — réclame peu d'aide — fait peu de dégâts — utilise la fourchette	— caprices moins prononcés — attitude plus souple
4 ans	— utilise le couteau et la fourchette	— caprices et grèves de la faim... — capable de mettre la table
5 ans	— préfère encore les aliments nature	— accepte plus facilement — est influencé par les autres

Sa croissance «arythmique»

Au cours de la première année de vie, l'enfant grandit d'environ dix pouces (25 cm) et triple son poids; c'est un «record» qui ne s'établit que cette année-là! Tout au long des années préscolaires, l'enfant continue de grandir, mais il gagne seulement seize à dix-sept pouces (40 cm) et vingt-trois livres (10 kg) environ en cinq ans. Après un an, la croissance annuelle se chiffre autour de trois à quatre pouces (8 cm), et aux environs de quatre livres (1,7 kg): le rythme de croissance est au ralenti.

27. La croissance de l'enfant

	naissance	1 an	6 ans
GARÇON grandeur	[50 cm] 20 pouces	[75 cm] 30 pouces	[115 cm] 46 pouces
poids	[3,3 kg] 7,5 livres	[10 kg] 23 livres	[19,8 kg] 45 livres
FILLE grandeur	[48,5 cm] 19 pouces	[73,5 cm] 29 pouces	[115 cm] 46 pouces
poids	[3,2 kg] 7,3 livres	[10 kg] 22 livres	[20 kg] 46 livres

Ce ralentissement évident explique la diminution de l'appétit du préscolaire; le bébé de huit mois qui avale tout avec plaisir pousse à vue d'oeil...; le petit de deux ans et demi plein de caprices grandit à peine.

D'autre part, les poussées de croissance inattendues et imprévisibles expliquent certaines fluctuations de l'appétit pendant ces jeunes années. Soudainement, l'enfant pousse en longueur, s'arrête, prend du poids, puis s'arrête de nouveau. Ces «poussées» intermittentes s'accompagnent d'une augmentation momentanée de l'appétit; entre deux poussées, l'appétit diminue, mais il n'y a pas lieu de s'inquiéter.

Malgré les variations de croissance et d'appétit, l'organisme du jeune enfant a des exigences particulières et des besoins nutritifs spéciaux. La formation des muscles, des os, du sang exige une consommation suffisante d'aliments riches en protéines, en calcium, en phosphore, en vitamine D et en fer; la résistance aux infections et le bon fonctionnement de l'organisme en général sous-entend une consommation adéquate d'aliments riches en vitamines A, B et C.

Une alimentation variée est une des clés de sa santé.

Choix d'aliments aux différents âges

Le préscolaire s'apprivoise graduellement à une alimentation variée, et de mois en mois, il fait des découvertes alimentaires. Son menu est composé d'aliments de base, présentés sous diverses formes selon ses capacités.

L'évolution du menu se fait parallèlement au développement de l'enfant sur les plans physiologique et physique.

Les pages qui suivent suggèrent un choix d'aliments adaptés aux divers âges et indiquent une quantité à consommer pour chaque type d'aliments.

Neuf à dix-huit mois

lait et produits laitiers:

bu dans un gobelet; lait entier jusqu'à 12 mois et lait 2% après, si désiré;

yogourt nature ou aux fruits, comme dessert;

fromage *cottage* ou fromage doux, dans certaines préparations.

Quantité recommandée: 20 onces [625 mL] de lait par jour. (On peut remplacer 4 onces [125 mL] de lait par 4 onces [125 mL] de yogourt ou par ¾ d'once [22 g] de fromage doux.)

fruits et légumes:
cuits et écrasés à la fourchette, à l'exception de la banane mûre qui peut se manger crue;
après 12 mois, la pêche et le melon peuvent être servis crus;
jus de fruits, environ 3 à 4 onces [90 à 125 mL] par jour;
éviter les fruits à grains: fraises, framboises, groseilles et raisins rouges.
Quantité recommandée: 2 petites portions de fruits et de légumes par jour.

viande, volaille et poisson:
réduits en petites bouchées faciles à mastiquer;
viande hachée; poisson poché, sans arêtes; pain de viande.
Quantité recommandée: 1½ once [45 g] par jour environ.

oeuf complet:
après 10-12 mois, l'enfant peut manger environ 4 oeufs complets par semaine, cuits à la coque, pochés ou brouillés.

céréales:
servir de préférence des céréales pour bébés et varier tout au long de la semaine;
occasionnellement, offrir du gruau ou de la crème de blé et servir tiède.
Quantité recommandée: 7 c. à soupe par jour.
pain de blé entier: environ 1 tranche par jour.

aliments à croquer:
croûtes de pain, quartier de pomme sans pelure, biscottes.

aliments à éviter:
cacahuètes, noix, pommes *chips* (croustilles) parce qu'elles peuvent étouffer le jeune enfant; desserts riches, pâtisseries et sucreries parce que susceptibles de gâter l'appétit et les dents de l'enfant.

Un an et demi à deux ans
lait et produits laitiers:
le lait peut être bu dans une tasse ou incorporé en partie dans des desserts genre pouding ou pris sous forme de

yogourt, de fromage doux ou en cube, ou de fromage *cottage* avec des fruits;

lait entier, 2% ou écrémé, selon les besoins de l'enfant ou les recommandations du médecin.

Quantité recommandée: 20 onces [625 mL] par jour ou l'équivalent en produits laitiers.

fruits et légumes:

cuits et coupés finement, servis sous les couleurs les plus variées...

lundi: carottes et brocoli;

mardi: chou-fleur et tomate miniature crue;

mercredi: courge et asperges;

jeudi: courgettes et haricots verts, etc.;

certaines crudités peuvent exercer les dents du bébé: bâtonnets de carotte, rosettes de chou-fleur;

les fruits constituent le dessert idéal, et les jus de fruits sont servis à l'heure des collations.

Quantité recommandée: 2 petites portions de fruits et de légumes par jour.

viande, volaille et poisson:

coupés en languettes ou en petites bouchées, morceaux de poisson ou de volaille, foie coupé en petits cubes, viandes rôties et coupées en petits morceaux.

Quantité recommandée: 1½-2 onces [45-60 g] par jour.

oeuf complet:

servi à la coque, poché, brouillé, dans un lait de poule ou cuit dur.

Quantité recommandée: environ 4 par semaine.

céréales:

sèches ou cuites, toujours servies avec du lait.

Quantité recommandée: ½ tasse [125 mL] par jour.

pain de blé entier 1 ou 2 tranches par jour.

aliments à éviter:

les fritures, les pâtisseries, les gâteaux et les biscuits sont superflus dans l'alimentation de l'enfant de cet âge;

ne jamais donner de café, de thé ni de boissons gazeuses à l'enfant;

éviter les aliments difficiles à mastiquer: cacahuètes, noix, croustilles *(chips)*.

Deux à cinq ans

La base de l'alimentation reste la même; l'enfant goûte à tous les aliments. Le lait est incorporé dans des sauces ou des desserts; le yogourt et les fromages lui fournissent également le calcium si précieux pour la formation de ses os et de ses dents.

Les légumes et les fruits sont donnés entiers, crus ou cuits; à mesure que l'enfant vieillit, les portions augmentent graduellement.

La viande est coupée en morceaux au lieu d'être hachée; le bacon croustillant est également apprécié.

Les bonbons, les gâteaux et les pâtisseries ne doivent pas faire partie de l'alimentation du préscolaire; cette source de calories concentrées satisfait l'appétit de l'enfant sans le nourrir et l'empêche d'avoir une alimentation variée et équilibrée.

Aliments à éviter:

aliments à éviter:

les fritures et les aliments difficiles à mastiquer: cacahuètes, noix, croustilles *(chips)*.

Vers l'âge de cinq ans

L'enfant refuse plus particulièrement les mets en casserole ou en sauce, tout en conservant les aliments de base: lait, légumes et fruits, viande et céréales, qu'on lui sert non mélangés, sans sauce ni camouflage... L'enfant de cet âge préfère les légumes crus aux légumes cuits: le choix est quand même vaste: rondelles de poivron vert, tomates en tranches, rosettes de chou-fleur, salade de laitue et d'épinards, salade de chou et de pommes en cubes, salade de carottes et de raisins secs, etc. À cinq ans, l'enfant est influencé par l'attitude de son milieu, par les habitudes alimentaires de ses amis.

La grosseur des portions

Quelle quantité de viande doit-on donner à l'enfant de deux ans? Que signifie une portion de fruits pour l'enfant de trois ans?

Il est très important d'avoir une idée de la quantité d'aliments à donner à l'enfant si l'on veut respecter ses besoins... et son appétit; il ne suffit pas de diviser en deux une portion d'adulte!

Un enfant en santé connaît la quantité d'aliments qui lui convient; toutefois, cela implique que l'on ne lui présente que des aliments sains, faisant partie de son menu de base. L'enfant, face à des sucreries, du chocolat, peut facilement perdre le contrôle de son appétit, tomber dans la gourmandise et se réveiller avec un bon mal de ventre.

Le tableau qui suit indique la grosseur approximative des portions d'aliments à servir à un préscolaire. Elles sont très petites, mais satisfont les besoins nutritifs de l'enfant qui mange des aliments variés tous les jours.

28. Portions suggérées de un à six ans

ALIMENTS	1 AN	2-3 ANS	4 À 5 ANS
lait	½ tasse (4 onces) [125 mL]	½ à ¾ de tasse (4 à 6 onces) [125 à 180 mL]	¾ de tasse (6 onces) [180 mL]
viande maigre, volaille et poisson	2 c. à soupe (7 croquettes /livre)	3 c. à soupe (6 croquettes /livre)	4 c. à soupe (6 croquettes /livre)
foie: 1 fois par semaine	2 c. à soupe	3 c. à soupe	4 c. à soupe
beurre d'arachides	1 c. à soupe	1 c. à soupe	2 c. à soupe
oeuf	1	1	1
jus d'orange ou autre jus riche en vitamine C	⅓ de tasse [85 mL]	½ tasse [125 mL]	½ tasse [125 mL]
fruits et légumes jaunes ou verts	2 c. à soupe	3 c. à soupe	4 c. à soupe
autres légumes (pomme de terre)	2 c. à soupe	3 c. à soupe	4 c. à soupe
autres fruits	¼ de tasse [60 mL]	½ fruit	½ à 1 fruit
pain	½ tranche	1 tranche	1½ tranche
céréales sèches	⅓ de tasse [85 mL]	½ tasse [125 mL]	½ tasse [125 mL]
céréales cuites, riz, macaroni et spaghetti	¼ de tasse [60 mL]	⅓ de tasse [85 mL]	½ tasse [125 mL]

La préparation et la présentation des aliments

Pour stimuler l'appétit de l'enfant, il faut lui présenter des aliments «attirants» et faciles à manipuler! Il est également très important de savoir apprêter les «bons» aliments pour qu'ils conservent toute leur valeur nutritive, leur couleur, leur saveur et leur texture caractéristiques; un légume mou et décoloré, un morceau de viande sec et ratatiné restent dans l'assiette de l'enfant, tandis qu'un légume ferme et coloré et une viande tendre et juteuse sont rapidement dévorés!

Viandes, volailles et poissons

L'enfant aime ces aliments «tendres et juteux», faciles à manipuler et à mastiquer.

Les parties tendres de la viande cuite lentement, à basse température, restent *tendres*; les parties moins tendres doivent subir une cuisson prolongée dans un liquide, à basse température, pour atteindre la même consistance. En tout temps, un basse température et une cuisson lente conservent à la viande toute sa saveur et sa tendreté.

Le foie cuit lentement garde une bonne texture; le foie de poulet en particulier reste très tendre et sa saveur douce plaît au bébé.

Des mini-croquettes de viande ou de poisson (thon ou saumon) ou un pain de viande auquel on ajoute un peu plus de liquide que d'habitude sont agréables pour les tout-petits.

Les volailles rôties doucement (four de 300 °F à 325 °F [150 °C à 170 °C], 30 minutes par livre) ou laissées à mijoter dans un bouillon donnent également une chair tendre et juteuse, facile à mastiquer si elle est coupée en petits morceaux (attention aux petits os).

Dans le cas des poissons, une cuisson lente à feu doux préserve leur texture fragile; choisissez des filets de poisson ou enlevez soigneusement les arêtes.

Dans tous les cas, choisissez des viandes et des poissons *maigres,* frais ou congelés; servez en petits morceaux ou en languettes selon les possibilités de l'enfant. Une portion par jour suffit pour satisfaire les besoins nutritifs du préscolaire.

Légumes

Les légumes ajoutent leurs couleurs et leurs vitamines au plat de résistance; une cuisson appropriée leur conservera ces attributs précieux.

Ne laissez jamais les légumes tremper dans l'eau avant la cuisson.

Faites cuire les légumes dans une petite quantité d'eau bouillante salée et surveillez la cuisson; n'attendez pas que la couleur change et que le légume devienne trop mou; coupez en petits morceaux ou écraser *après* la cuisson et servez aussitôt. La cuisson à l'autocuiseur et à la vapeur conserve également la valeur nutritive des légumes si l'on ne dépasse pas le temps de cuisson indiqué pour chaque légume.

Conservez l'eau de cuisson des légumes pour enrichir les soupes et les sauces.

Un bon potage de légumes fait au mixeur fournit à l'enfant une certaine quantité de lait et une portion de légumes.

Lorsque l'enfant est capable de croquer, il peut savourer toute une gamme de légumes crus: carotte, poivron vert, chou-fleur, brocoli, navet, céleri, feuilles de laitue et de chou.

Deux petites portions par jour satisfont les besoins du préscolaire.

Fruits

L'enfant aime la saveur des fruits; il les mange cuits au début, puis crus selon les fruits et selon ses possibilités. La pomme en particulier doit être *pelée* jusqu'à l'âge de trois à quatre ans pour éviter que l'enfant ne s'étouffe.

Les compotes de fruits cuits, pommes et poires, poires et pêches, pruneaux et pommes, pommes, remportent un grand succès.

Servez les fruits *sans sucre* pour apprendre à l'enfant à en goûter la vraie saveur!

Au cours des deux premières années, évitez les fruits à petits grains comme les fraises, les framboises, les groseilles et les raisins à pépins.

Les fruits séchés (pruneaux, dattes, figues, raisins, abricots) peuvent être donnés en petits morceaux lorsque l'enfant mastique bien (après deux ans). Surveillez le brossage des dents après la consommation de ces fruits, car ils collent aux dents...

Tous les jours, l'enfant doit manger un fruit riche en vitamine C. L'orange et le pamplemousse ou leurs jus frais ou congelés figurent parmi les meilleures sources de cette vitamine. Le jus de pomme vitaminé ou le jus de tomate sont également riches en vitamine C. Ne choisissez pas des boissons ou «breuvages» à l'orange pour remplacer ces jus de fruits; certes, ces boissons sont peut-être enrichies de vitamine C, mais elles ne contiennent pas les autres qualités nutritives des *vrais* jus de fruits.

Oeufs

L'oeuf complet s'ajoute au menu de l'enfant à la fin de la première année (dix ou douze mois); il est facilement accepté par l'enfant.

L'oeuf à la coque servi dans un coquetier ou coupé dans un petit plat et accompagné de «mouillettes» de pain a raison des plus capricieux. On peut également servir l'oeuf poché ou brouillé avec du fromage doux.

L'enfant un peu plus vieux (trois à six ans) aime croquer dans l'oeuf dur ou l'oeuf farci. Camouflé dans un lait de poule ou une crème caramel, l'oeuf contribue toujours à fournir de bonnes protéines au préscolaire. L'enfant peut manger quatre oeufs par semaine.

Pain et céréales

Ce groupe d'aliments fournit des protéines, des vitamines du complexe B, du fer et des calories à bon marché. Il fait partie d'une alimentation bien équilibrée.

Le jeune enfant (3 à 12 mois) aime le goût des céréales précuites; plus tard, il savoure les céréales cuites comme le gruau et la crème de blé servis *tièdes* et, finalement, il croque des céréales sèches vers l'âge de deux ans.

La publicité accordée aux céréales sèches, sucrées, colorées ou soufflées, complique souvent le choix de cet aliment. En effet, aux États-Unis, 88% des mères laissent leur enfant choisir leur céréale favorite..., une forme de participation qui peut nuire à la bonne nutrition des enfants. Il faut choisir les céréales «à grain entier» qui ont conservé toutes leurs qualités nutritives.

Certaines céréales à grain entier
— orge mondée
— blé concassé ou *bulgur*

Céréales cuites:
— gruau
— crème de blé
— céréales au germe de blé
— *muesli*
— riz brun
— sarrasin
— millet

Céréales sèches
— *Muffets* nature et à saveur de malt
— *Weetabix*
— *Shredded wheat* (gros biscuit)
— *Shredded wheat* (mini-biscuit)
— *Shreddies* (additionnées de sucre)
— *Alpen* et *Croque-nature* (additionnées de sucre)

Un quart de tasse (60 mL) de céréales cuites équivaut à une demi-tasse (125 mL) de céréales sèches ou à une demi-tranche de pain de blé entier.

Un enfant avec un appétit d'oiseau est plus vite nourri avec les céréales cuites.

Servez toujours les céréales avec du lait pour en retirer le maximum de valeur nutritve. On peut augmenter la valeur nutritive des céréales cuites en remplaçant l'eau de cuisson par du lait ou en ajoutant de la poudre de lait à la céréale avant la cuisson.

On les sucre *naturellement* avec des fruits secs (raisins ou pruneaux) ou des fruits frais (½ banane ou petits fruits, en saison). N'ajoutez que peu ou pas de sucre.

Les pâtes font parties de ce groupe; elles fournissent moins d'éléments nutritifs que les céréales ou le pain; combinées avec du fromage, du lait, des oeufs, de la viande ou des légumes, elles contribuent à varier les menus et à fournir de l'énergie.

Lait et produits laitiers

Le dernier groupe en liste, mais non le moindre en importance! Le lait et ses produits jouent un rôle de premier plan dans la croissance de l'enfant. Très peu d'aliments possèdent des qualités nutritives comparables.

L'enfant, à partir de six mois, peut commencer à boire du lait de vache «entier». Le lait «écrémé» n'est pas recommandé avant 12 ou 18 mois, à cause de sa forte concentration en protéines et de sa faible teneur en calories.

L'enfant, de un à six ans doit recevoir l'équivalent de deux tasses et demie [625 mL] de lait par jour; s'il ne prend pas le lait sous forme liquide, il doit boire de l'eau ou des jus de fruits pour apaiser sa soif; pas question de boissons gazeuses ni de «breuvages» sucrés à saveur de fruits.

L'enfant aime le lait à la température de la pièce; cela signifie qu'il faut le sortir du réfrigérateur quelque temps avant le repas.

Vers six mois, il commence à boire dans une tasse munie d'un bec, laquelle facilite le passage du biberon au verre.

Vers un an et demi, l'enfant se débrouille bien avec une tasse; pour éviter les dégâts, la tasse est donnée à la fin du repas.

Vers deux ans, l'enfant boit avec un verre; un petit verre large est plus facile à saisir qu'un long verre étroit; il n'est pas nécessaire de le remplir jusqu'au bord.

Vers trois ans, l'enfant est capable de verser son lait à l'aide d'un petit pot ou pichet; il est heureux de maîtriser cette activité, et celle-ci peut l'aider à boire un peu plus de lait.

À cet âge, une paille (chalumeau) peut faire des merveilles, à l'occasion...

Pour augmenter la valeur nutritive de l'alimentation du préscolaire, il est recommandé d'incorporer le lait aux soupes, aux sauces, aux desserts. D'autres produits laitiers peuvent remplacer le lait liquide, tels le fromage doux, le yogourt, la crème glacée, le lait glacé:

[180 mL] 6 onces de lait (portion de préscolaire)
= [30 g] 1 once de fromage doux;
= [180 mL] 6 onces de yogourt;
= [180 mL] ¾ de tasse de crème glacée;
= [180 mL] ¾ de tasse de lait glacé.

Il ne faudrait pas nourrir un enfant à la crème glacée... sous prétexte qu'il n'aime pas le lait; celle-ci contient plus de calories que le lait et risquerait de faire grossir inutilement le préscolaire; l'idéal est d'utiliser la crème glacée comme substitut dans *les occasions spéciales.*

Le lait au chocolat n'est pas un bon substitut du lait ordinaire; il fournit plus de calories, plus de sucre et crée une mauvaise habitude.

L'atmosphère du repas
L'horaire

Un horaire régulier favorise une meilleure consommation d'aliments chez le préscolaire; l'enfant mange mieux s'il mange à intervalles réguliers. Si les repas sont retardés, l'enfant trop fatigué ne mange pas. Le déjeuner se prend habituellement une demi-heure après le réveil; le dîner vers midi; le souper vers six heures. Le souper peut se prendre un peu plus tard s'il y a eu une collation vers quatre heures.

Le confort physique à l'heure des repas

Avoir le nez à l'égalité de la table, être assis sur une chaise qui branle, les pieds pendants, manger avec une grosse cuillère et une grosse fourchette, voilà quelques inconvénients qui ne facilitent pas la tâche du tout-petit à l'heure des repas!

Un enfant mal installé risque de manger moins que celui qui jouit d'un certain confort.

Un minimum de confort évite bien des drames:
— chaise solide avec appui pour les pieds de l'enfant;
— table à la bonne hauteur;
— bonne bavette;
— ustensiles plus petits;
— verre petit et large, incassable, à demi rempli;
— bol ou assiette à rebords au lieu de l'assiette plate.
Un minimum de décor... stimule l'appétit:
— nappe ou napperon de couleur;
— centre de table, quelques fleurs fraîches ou séchées;
— chandelle allumée... pour un repas du soir «spécial».

La participation de l'enfant

Vers l'âge de trois ans, l'enfant est capable d'aider sa maman et adore se rendre utile. Une participation active au moment de la préparation du repas améliore son attitude envers les aliments et peut même stimuler son appétit; au lieu de venir à table à reculons, il est fier d'avoir accompli certaines tâches réservées aux «grandes personnes» comme:
— mettre le couvert;
— placer les serviettes de table à chaque couvert;
— verser le lait ou le jus dans des verres (incassables);
— déposer les crudités ou les biscuits dans une assiette...
  (incassable);

— disposer le pain dans la corbeille à pain.

Des accidents et des dégâts peuvent arriver (qui n'en cause pas?). Une mère compréhensive les accepte avec calme et continue de demander la collaboration de l'enfant. Une réaction inverse risque d'enlever la confiance que l'enfant a en lui-même.

À mesure que l'enfant grandit, les tâches augmentent aussi. Il apprend:

— à tartiner le pain;
— à farcir les bâtonnets de céleri;
— à casser un oeuf pour l'omelette de papa;
— à écosser les pois; à éplucher les épis de maïs.

Sa satisfaction croît en même temps que se multiplient ses responsabilités.

Les collations

Nous vivons à l'époque des «pauses café», des goûters à toute heure de la journée. Malheureusement, il semble difficile de concilier collation et nutrition. Les aliments favoris à l'heure des collations ne fournissent que des calories ou presque... et coupent l'appétit pour les aliments importants, servis habituellement à l'heure des repas. Ce phénomène influe aussi sur l'alimentation de l'enfant; le grignotement perpétuel de biscuits, de sucreries, de croustilles (*chips*), farcit l'enfant de calories sans le nourrir et l'empêche de manger des aliments plus nutritifs quand arrive l'heure des repas.

Utilité pour l'enfant

Tout dépend de l'enfant et de ses besoins.

Les collations existent pour compléter son alimentation, et non pour remplacer ses repas; elles doivent satisfaire un besoin de l'organisme, et non combler un vide social!... Si l'on tient compte de ce principe, l'adulte peut facilement se passer de collations; par contre, le jeune enfant mange peu à la fois et utilise rapidement les aliments qu'il mange; il est incapable de rester de longues heures sans manger.

Le bébé d'une semaine exigeait de petites quantités de lait, sept à huit fois par jour; sa capacité de consommer une plus grande quantité d'aliments à la fois se développe graduellement. Vers l'âge de dix mois, il mange trois à quatre fois par jour; ses repas sont plus généreux, et l'intervalle entre les repas est plus long. De six mois à six ans, l'enfant normal qui prend un déjeuner complet vers huit heures du matin peut filer jusqu'à midi sans problème; la collation de l'après-midi s'avère souvent nécessaire et n'affecte pas le repas du soir, si elle respecte les critères d'une «bonne collation».

L'enfant de trois à cinq ans qui se lève tôt, déjeune rapidement et passe l'avant-midi à la maternelle, bénéficie d'une collation vers dix heures. Des expériences faites auprès des tout-petits ont démontré qu'un jus de fruit suffisait; le jus de fruit est riche en vitamines et en minéraux, se digère facilement, ne cause pas d'allergies et redonne de l'énergie dans un temps record.

Si l'on considère le cas d'un enfant tendu à l'heure des repas, qui avale de peine et de misère la moitié ou le quart des aliments présentés, il pourrait également bénéficier de collations *nutritives* qui auraient pour effet de compléter son alimentation. Mais il faut faire attention, car cette stratégie comporte des risques. L'enfant peut facilement prendre l'habitude de manger «entre les repas» plutôt qu'à l'heure des repas.

Il est donc impossible d'établir des règles «fixes» au sujet des collations. Les quelques règles «particulières» qui suivent peuvent aider une mère à décider si son enfant a, oui ou non, besoin de collations, et la guider dans le choix de celles-ci.

— un enfant qui mange comme un oiseau à l'heure des repas risque de manger encore moins si on lui donne des collations; les collations sont peut-être la cause de cet appétit fragile;

— une «bonne» collation donnée deux heures et demie avant le prochain repas ne modifie pas l'appétit de l'enfant normal;

— la quantité d'aliments donnés à la collation doit être contrôlée pour éviter de transformer ce repas léger en repas principal...

— la qualité des aliments choisis pour les collations demeure d'une importance capitale; les aliments servis à la collation doivent compléter et non contrecarrer l'alimentation de l'enfant.

Critères d'une bonne collation

Pour l'enfant, une bonne collation:

— attire les yeux et satisfait le palais; elle est agréable à regarder et bonne à manger;

— nourrit assez, mais ne remplit pas;

— fournit des éléments nutritifs valables (vitamines, minéraux), mais évite les calories inutiles;

— varie d'un jour à l'autre;

— amuse l'esprit et les doigts;

— peut être préparée en collaboration avec l'adulte.

Idées et recettes de collations*

A. Collations riches en vitamines et minéraux, mais pauvres en calories

Jus de fruits, non sucrés
(quantité de 4 à 6 onces [125 à 180 mL])

— jus de pomme, raisin, ananas, tomate, orange, pamplemousse, canneberge, pastèque*

— nectar d'abricot ou de pruneau

— boissons «2 fruits» (jus d'orange et de banane)*

Note: On peut congeler également ces jus de fruits dans des contenants de *popsicle* afin d'obtenir des sucettes congelées au jus de fruit, si rafraîchissantes au cours de la saison chaude.

Fruits frais
— pomme en quartiers, en rondelles, en compote
— abricot
— banane entière ou tranchée
— cerises fraîches
— noix de coco fraîche, coupée en cubes
— brochettes de fruits*
— orange ou pamplemousse en quartiers
— raisin vert sans pépins, en petites grappes
— melon en cubes (cantaloup, *honeydew* ou pastèque)
— morceaux de pêche ou de poire
— prunes
— fraises mûres, bleuets ou framboises
— mandarine

Fruits séchés
(Plus riches en calories et en sucre; bien se brosser les dents après en avoir mangé)
— raisins secs
— figues
— dattes

Légumes crus
— cubes d'avocat
— quartiers de chou vert
— bâtonnets de carotte
— rosettes de chou-fleur ou de brocoli cru
— bâtonnets de céleri
— céleri farci de beurre d'arachides ou de fromage *cottage* assaisonné
— rondelles ou bâtonnets de concombre
— pois verts dans leur cosse
— rondelles de poivron vert
— mini-tomates
— bâtonnets de navet
— tranches de courgette
— brochettes de légumes

B. Boissons plus nourrissantes

(Pour enfants plus actifs, avec beaucoup d'appétit)

— lait aux bananes*
— lait parfumé à l'orange*
— lait de «pistache»*
— boisson qui rafraîchit*
— lait, crème glacée et banane*
— lait, crème glacée et fraises*
— boisson aux pruneaux*

C. Collations plus nourrissantes

(Pour enfants plus actifs, avec beaucoup d'appétit)

— pain aux noix ou aux fruits, tartiné* ou nature
— cubes de fromage
— bâtonnets de fromage
— brochettes de «fruit et fromage» (pomme et fromage)
— *muffin*
— céréales d'écureuil*
— brochettes de «fromage et légume» (céleri et fromage)
— yogourt nature ou aux fruits

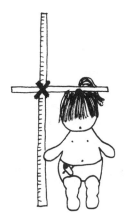

* Recettes dans les pages suivantes

Boisson à la pastèque (melon d'eau)

Ingrédients

jus d'un demi-citron ou d'une limette
1 tasse [250 mL] de jus d'orange frais ou congelé,
reconstitué
4 tasses [1 litre] de gros morceaux de pastèque, sans
pépins

Mode de préparation
1. Placer tous les ingrédients dans le récipient en verre du mixeur, et bien mélanger.
2. Passer au tamis si quelques pépins sont tombés dans le jus.
3. Servir froid.

Rendement
5 tasses [1,25 litre] de jus

Commentaire
La pastèque fournit une certaine quantité des vitamines A et C.

Boisson «2 fruits»

Ingrédients

1 tasse [250 mL] de jus d'orange
1 petite banane ou ½ tasse [125 mL] de fraises

Mode de préparation
1. Placer les 2 ingrédients dans le récipients en verre du mixeur et bien mélanger.
2. Servir bien froid.

Rendement
2 portions d'enfant

Brochettes de fruits

Ingrédients

2 petites bananes, coupées en morceaux
10 à 12 belles grosses fraises
2 oranges coupées en quartiers

Mode de préparation

1. Sur 4 brochettes de bambou ou de bois, enfiler les fruits en alternant: banane, fraise, orange.
2. Conserver au réfrigérateur, si nécessaire.
3. Manger le plus vite possible pour éviter la décoloration de la banane.

Rendement

4 brochettes

Commentaire

On peut utiliser des pruneaux sans noyau au lieu des fraises, des pêches au lieu des oranges; laissez les enfants inventer leur propre brochette!

Lait aux bananes

Ingrédients

1 tasse [250 mL] de bananes mûres, coupées en petits morceaux
½ c. à café [2 mL] de vanille
1 tasse [250 mL] de lait écrémé

Mode de préparation

1. Placer les 2 bananes et le lait dans le récipient en verre du mixeur et bien mélanger.
2. Ajouter la vanille.
3. Réfrigérer et servir froid.

Rendement

2 à 3 portions d'enfant

Lait parfumé à l'orange

Ingrédients

> *1 pinte [1,2 litre] de lait écrémé, (5 tasses)*
> *1 contenant de 6 ¼ onces [180 mL] de jus d'orange*
> *congelé, non sucré*

Mode de préparation

1. Placer les ingrédients dans le récipient en verre du mixeur et bien mélanger.
2. Réfrigérer et servir froid.

Rendement

> 6 tasses [1,5 litre]

Commentaire

> Cette boisson se conserve quelques jours au réfrigérateur.

Lait de «pistache»

Ingrédients

> *4 tasses [1 litre] de lait écrémé*
> *⅓ de tasse [85 mL] de beurre d'arachides crémeux*
> *1 c. à soupe [15 mL] de miel (si nécessaire)*

Mode de préparation

1. Déposer le beurre d'arachides dans le récipient en verre du mixeur.
2. Verser un peu de lait et bien brasser.
3. Ajouter graduellement le reste du lait en mélangeant continuellement. Ajouter le miel. Bien mélanger.
4. Réfrigérer. Remuer légèrement avant de servir.

Rendement

> 4 tasses [1 litre]

Boisson qui rafraîchit

(raisin et limette)

Ingrédients

4 onces [125 mL] de jus de raisin, non sucré
1 boule de sorbet à la limette

Mode de préparation

1. Verser les 2 ingrédients dans le récipient en verre du mixeur; mélanger 30 à 40 secondes.
2. Servir et savourer

Rendement

2 petits verres ou 1 portion généreuse.

Commentaire

Une autre version: 4 onces [125 mL] de jus de pomme et 1 boule de sorbet à l'orange... même succès auprès des petits et des grands!

Lait, crème glacée et banane (ou fraises)

Ingrédients

1 tasse [250 mL] de lait écrémé
1 boule de crème glacée parfumée à la vanille
1 banane bien mûre coupée en morceaux

Mode de préparation

1. Placer tous les ingrédients dans le récipient en verre du mixeur et bien mélanger.
2. Servir bien froid.

Rendement

2 portions d'enfant

Commentaire

Une collation de jour de fête!
On peut remplacer la banane par ½ tasse [125 mL] de fraises fraîches ou congelées sans sucre.

Boisson aux pruneaux
Ingrédients
1 tasse [250 mL] de lait
4 pruneaux cuits, sans noyau
¼ de tasse [60 mL] de jus de pruneau

Mode de préparation
1. Placer tous les ingrédients dans le récipient en verre du mixeur et bien mélanger.
2. Servir froid.

Rendement
2 portions d'enfant

Commentaire
Excellent pour l'enfant légèrement constipé.

Fromage à tartiner
(sur pain aux fruits, aux noix, de seigle, etc.)
Ingrédients
1 tasse [250 mL] de fromage cottage
½ tasse [125 mL] d'ananas déchiqueté, non sucré

Mode de préparation
1. Placer dans le récipient en verre du mixeur et bien mélanger.
2. Conserver au réfrigérateur et tartiner le pain à la dernière minute.

Rendement
1 tasse [125 mL] de lait écrémé

Commentaire
On peut remplacer l'ananas par ½ tasse [125 mL] de purée d'abricot, de pomme ou de pêche.

Céréales d'écureuil
Ingrédients

4 tasses [1 litre] de gruau d'avoine à cuisson rapide
1 tasse [250 mL] de noix de coco râpée
1 tasse [250 mL] de noix finement hachées
1 tasse [250 mL] de germe de blé
1 tasse [250 mL] de graines de tournesol
⅓ de tasse [85 mL] de miel
⅓ de tasse [85 mL] d'huile végétale (maïs)
½ c. à café [2 mL] de vanille

Mode de préparation

1. Régler le four à 350°F [180 °C].
2. Mélanger dans un grand bol les 5 premiers ingrédients.
3. Faire chauffer le miel; ajouter aux ingrédients secs; ajouter l'huile et la vanille. Bien mélanger avec une cuillère de bois ou avec les mains.
4. Déposer sur des tôles à biscuits bien huilées; faire cuire environ 30 minutes en remuant 1 fois au cours de la cuisson. Refroidir.
5. Ranger dans des contenants fermant hermétiquement; conserver dans un endroit frais.

Rendement

8 tasses [2 litres] de céréales

Commentaire

On peut ajouter, après la cuisson, des raisins secs ou des morceaux de dattes. Ces céréales sont très nourrissantes; n'en donner qu'une petite portion (¼ à ⅓ de tasse [60 à 85 mL] pour ne pas couper l'appétit de l'enfant.

Évaluation des habitudes alimentaires

Les habitudes alimentaires se forment au berceau et tout au long des années préscolaires, de zéro à six ans. Un enfant capricieux à l'âge de six ou sept ans risque de le demeurer toute sa vie.

Les bonnes ou les mauvaises habitudes s'acquièrent dans la famille..., et non chez le voisin! Après cet âge, l'influence de la famille diminue et les influences extérieures s'amplifient: école, compagnons, restaurant du coin.

Un enfant habitué aux bons aliments adoptera moins facilement des modes alimentaires plus ou moins nuisibles à sa santé et à son développement physique. Un enfant qui n'a pas appris à bien s'alimenter, se laissera attirer par les beignets et café pour déjeuner, frites et boissons gazeuses pour dîner, pizza et chocolat pour souper!

Avant six ans, il est encore temps de corriger la situation.

Le questionnaire qui suit permet d'évaluer la qualité des habitudes alimentaires de votre enfant; les résultats se calculent à l'aide des directives présentées ci-après.

29. Évaluation des habitudes alimentaires de l'enfant

	oui	points	non	points
1. Il déjeune tous les matins.	✓	*10*		
2. Il grignote n'importe quoi au cours de l'avant-midi au lieu de déjeuner.			✓	
3. Il boit du lait à chaque repas ou mange un produit laitier équivalent (voir «Choix d'aliments aux différents âges», précédemment dans ce chap.)	✓	*10*		
4. Il ne boit que des boissons à saveur de fruits ou des boissons gazeuses.			✓	
5. Il refuse tous les légumes.			✓	
6. Il aime les légumes crus et cuits et en mange à tous les repas.			✓	
7. Tous les jours, il boit un jus d'orange ou mange un autre aliment constituant une bonne source de vitamine C (voir au chapitre précédent: «Vitamine C»).	✓	*10*		
8. Il connaît et aime les céréales à grain entier; il en mange tous les jours.	✓	*10*		
9. Il refuse systématiquement de goûter à un nouvel aliment.			✓	
10. Il accepte les fruits lorsqu'ils sont sucrés.			✓	
11. Il mange du foie au moins une fois par semaine ou une autre bonne source de fer.			✓	
12. Il connaît et aime le boeuf, l'agneau, le porc et le poulet.	✓	*10*		

13. Il n'a jamais goûté au poisson.			✓	
14. Il aime l'heure des repas.	✓	10		
15. Il mange des biscuits ou des bonbons à l'heure de la collation.			✓	
16. Il contrôle son appétit et sait quand arrêter.	✓	16		
17. Il connaît et aime au moins 3 espèces de poisson.	✓	10		

Points obtenus	Qualité des habitudes alimentaires
100	excellentes
80-100	bonnes
60-80	passables
40-60	une amélioration est souhaitable
0-40	c'est le temps d'y voir!

— Directives pour calculer les points:

- Accorder dix points par réponse affirmative aux questions 1, 3, 6, 7, 8, 11, 12, 14, 16, 17.
- Soustraire dix points par réponse affirmative aux questions 2, 4.
- Il n'y a aucun point pour les autres réponses affirmatives.

Chapitre XIII
Le menu de transition (9 à 18 mois)

Le menu de transition correspond à une alimentation adaptée aux aptitudes physiologiques et physiques de l'enfant de neuf à dix-huit mois environ. On le baptise «de transition» à cause de la texture des aliments qui est plus consistante que celle des purées tout en étant moins dure que celle des aliments mangés par les plus «grands». La saveur est également plus douce que celle des plats usuels, épicés ou très assaisonnés.

Les légumes sont cuits comme pour les recettes de purées, puis écrasés à la fourchette après la cuisson. Les viandes, volailles et poissons sont mis au mixeur moins longtemps ou simplement hachés, coupés en mini-morceaux, selon les capacités du bébé. Les fruits peuvent être servis en purées ou cuits, écrasés à la fourchette et présentés sous forme de compotes. Certains fruits crus font leur apparition au menu comme le melon et le cantaloup. Le pain est tantôt grillé, tantôt servi nature, tranché en languettes ou en mouillettes ou, encore, présenté sous forme de *muffin*. Les biscottes sont également bienvenues à cet âge.

L'appétit de l'enfant diminue graduellement après un an, la période de croissance accélérée étant révolue... Pour cette raison, les portions suggérées sont très petites, mais elles respectent l'ensemble des besoins nutritifs de l'enfant de cet âge.

30. Portions suggérées de 9 à 18 mois

Céréales pour bébés:	7 c. à soupe [105 mL] mêlées avec environ ¾ de tasse [180 mL] de lait
jus de fruit:	3 à 4 onces [90 à 125 mL]
repas de viande et légumes:	¼ de tasse [60 mL]
poisson:	1½ once [45 grammes]
légumes:	2 c. à soupe [30 mL]
fruits en compote:	¼ de tasse [60 mL]
pain de blé entier ou *muffin:*	½ tranche (occ. 1 tranche pour végétarien)
potage aux légumes:	3 onces [90 mL]
lait entier:	4 onces [125 mL]
fromage *cottage:*	¼ de tasse [60 mL]
cube de fromage:	1 once [30 grammes]
yogourt:	3 onces [90 mL]
gelée de fruit:	¼ de tasse [60 mL]

Horaire des repas

- l'enfant de cet âge adopte l'horaire de la famille et mange trois repas par jour et une collation;
- il boit dans une tasse, mange quelques aliments avec ses doigts;
- certains jours, il préfère qu'on le nourrisse; à d'autres moments, il désire manger seul;
- vers l'âge de 12 mois, il commence à manipuler la cuillère;

- dans le menu d'un enfant de cet âge, il n'y a pas de place pour des desserts riches, des pâtisseries ni des sucreries;
- éviter les aliments difficiles à mastiquer: cacahuètes, noix, croustilles *(chips)*.

Sept menus avec viande et sept menus végétariens

Menus de transition[1]

Avec viande

1. Jus d'orange
   céréales d'orge pour bébés
   et lait
   lait entier
   boeuf, riz et légumes*
   compote de pommes*
   pain de blé entier
   lait entier
   oeuf à la coque
   mouillettes de pain
   ¼ de pêche en petits
   morceaux
   lait entier
   collation: lait entier

2. Jus de pomme
   céréales d'avoine pour
   bébés et lait
   lait entier
   poisson poché dans du
   lait*
   pomme de terre et
   carotte en purée
   pain de blé entier
   ¼ de banane mûre écrasée
   lait entier

Végétariens

1. Jus d'orange
   céréales d'orge pour bébés
   et lait
   lait entier
   riz, légumes et fromage*
   compote de pommes*
   pain de blé entier
   lait entier
   oeuf à la coque
   mouillettes de pain
   ¼ de pêche en petits
   morceaux
   lait entier
   collation: lait entier

2. Jus de pomme
   céréales d'avoine pour
   bébés et lait
   lait entier
   légumineuses et légumes
   en purée*
   pain de blé entier
   ¼ de banane mûre écrasée
   lait entier

   fromage *cottage*
   compote de pruneaux et

fromage *cottage*
compote de pruneaux et
de pommes*
pain de blé entier
lait entier

collation: lait entier

3. Jus d'orange
céréales mixtes pour
bébés et lait
lait entier

poulet au riz et aux
légumes*
pain de blé entier
¼ de poire écrasée
lait entier

potage de légumes*
mouillettes de pain
petit cube de fromage
¼ de banane mûre écrasée
lait entier

collation: lait entier

4. Jus de pomme
céréales d'avoine pour
bébés et lait
lait entier

pain mystère au foie et
au boeuf*
courgettes écrasées
pain de blé entier
cantaloup en mini-
morceaux
lait entier

de pommes*
pain de blé entier
lait entier

collation: lait entier

3. Jus d'orange
céréales mixtes pour bébés
et lait
lait entier

lentilles, riz et légumes*
pain de blé entier
¼ de poire écrasée
lait entier

potage de légumes*
mouillettes de pain
petit cube de fromage
¼ de banane mûre, écrasée
lait entier

collation: lait entier

4. Jus de pomme
céréales d'avoine pour
bébés et lait
lait entier

légumineuses surprise*
courgettes écrasées
pain de blé entier
cantaloup en mini-
morceaux
lait entier

macaroni «2 fromages»*
abricots en purée*
lait entier

collation: lait entier

5. Jus d'orange céréales de
céréales de soya pour
bébés et lait
lait entier

porc et poireau, en purée*
pain de blé entier
compote de pommes
lait entier

oeuf poché
asperge en petits morceaux
demi-tranche de pain de
blé entier
gelée au jus de fruit*
lait entier

collation: lait entier

6. Jus de pomme
céréales de riz pour bébés
et lait
lait entier

poulet et riz
haricots verts en petits
morceaux
compote de pommes et
de poires*
lait entier

macaroni «2 fromages»*
abricots en purée*
lait entier

collation: lait entier

5. Jus d'orange
céréales de soya pour
bébés et lait
lait entier

légumes au gratin*
pain de blé entier
compote de pommes
lait entier

oeuf poché
asperge en petits morceaux
demi-tranche de pain de blé
entier
gelée au jus de fruit*
lait entier

collation: lait entier

6. Jus de pomme
céréales de riz pour bébés
et lait
lait entier

riz et fromage
haricots verts en petits
morceaux
compote de pommes et
de poires*
lait entier

crème de carottes* (voir
potage de légumes)
muffin de maïs
yogourt aux pêches
lait entier

collation: lait entier

7. Jus d'orange
céréales de soya pour
bébés et lait
lait entier

poisson poché*
purée de légumes verts
pain de blé entier
compote de pruneaux et
de pommes*
lait entier

oeuf à la coque
carotte cuite en bâtonnets
pain de blé entier
¼ de banane habillée*
lait entier

collation: lait entier

crème de carottes* (voir
potage de légumes)
muffin de maïs
yogourt aux pêches
lait entier

collation: lait entier

7. Jus d'orange
céréales de soya pour
bébés et lait
lait entier

lentilles, riz et légumes*
pain de blé entier
abricots en compote
lait entier

oeuf à la coque
carotte cuite en bâtonnets
pain de blé entier
¼ de banane habillée*
lait entier

collation: lait entier

*recettes disponibles dans le livre — voir index des recettes

31(A). Valeur nutritive des sept menus de transition avec viande

Menus avec viande calculés en fonction des portions suggérées

Jour	Calories	Protéines (g)	Calcium (mg)	Fer (mg)	Vit. B12 (μg)	Vit. C (mg)
1	857	43	1050	18,9	4,2	70
2	822	47	733	15,7	3,2	58
3	908	49	1219	17,8	3,0	75
4	914	58	759	20,1	3,3	78
5	823	47	1049	16,9	4,0	89
6	882	38	1218	18,6	3,0	58
7	903	54	1131	18,5	3,0	75
Moyenne par jour	872[1]	56[2]	1022	18 [3]	3,3	72[4]

Apports nutritionnels recommandés pour les Canadiens (1983)

Calories	Protéines	Calcium	Fer	Vit. B12	Vit. C
1000	18 mg	400-500 mg	6-7 mg	0,3 μg	20 mg

1. La quantité moyenne de calories est inférieure aux recommandations des Standards, mais se rapproche des quantités actuellement consommées par des bébés entre six et dix mois; de plus, les recommandations sont considérées très généreuses et mériteraient une légère soustraction au chapitre des calories[1]. Pour les bébés de plus de onze mois, il est facile d'augmenter les calories en augmentant les portions d'aliments selon l'appétit de l'enfant.

2. Malgré les mini-portions de viande ou de poisson, le menu complet fournit plus de deux fois la quantité de protéines requises; les portions de lait contribuent aussi à l'apport en protéines.

3. La principale source de fer provient des céréales pour bébés; sans elles, le menu pourrait difficilement satisfaire les besoins en fer d'un enfant de cet âge.

4. Sans avoir recours à des suppléments de vitamines, le bébé qui mange un menu varié contenant de petites portions de fruits, de légumes et de jus de fruits comble aisément ses besoins en vitamine C.

31(B). Valeur nutritive des sept menus de transition végétariens

Menus végétariens renfermant produits laitiers et oeufs

Jour	Calories	Protéines (g)	Calcium (mg)	Fer (mg)	Vit. B12 (μg)	Vit. C (mg)
1	826	38	1107	17,6	3,7	67
2	865	42	735	16,2	3,0	56
3	908	39	1226	17,4	2,8	72
4	855	40	764	16,6	3,0	74
5	873	45	1093	17,3	4,0	93
6	902	38	1324	17,6	3,0	58
7	879	44	1104	17,5	3,0	78
Moyenne par jour	872[1]	40	1050	17,1[3]	3,2	71

Apports nutritionnels recommandés pour les Canadiens (1983)

Calories	Protéines	Calcium	Fer	Vit. B12	Vit. C
1000 g	16-23 g[2]	400-500 mg	6-7 mg	0,3 μg	20 mg

1. Malgré l'absence de viande, de volaille et de poisson, l'enfant végétarien peut satisfaire ses besoins en calories et en protéines en mangeant un menu varié comme celui qui est proposé.

L'enfant végétarien qui ne consomme aucun produit laitier ni oeuf a avantage à poursuivre plus longtemps l'allaitement maternel et à compléter par des aliments comme le *tofu*, les céréales pour bébés, les légumineuses en purée en plus des fruits et des légumes. Il doit également prendre un supplément de vitamine B12, car aucun aliment d'origine végétale ne lui en fournit.

2. Les besoins en protéines sont légèrement plus élevés dans le menu végétarien afin de respecter les recommandations de la O.A.A. (F.A.O.).

3. La principale source de fer provient des céréales pour bébés; ces dernières ont une contribution importante à faire au menu du jeune enfant végétarien et ne doivent pas être remplacées trop rapidement par les céréales destinées à l'ensemble de la population, même si elles sont à grains entiers. Le fruit ou le légume riche en vitamine C pris lors d'un repas incluant des céréales ou des légumineuses augmente l'absorption du fer de façon importante[2].

Boeuf, riz et légumes

Ingrédients

1 livre [500 g] de boeuf maigre, haché
1 c. à café [5 mL] de beurre ou de margarine
½ tasse [125 mL] de riz étuvé [1]
1 tasse [250 mL] d'eau de cuisson de légumes et d'eau[2]
1½ tasse [375 mL] de légumes finement coupés

Mode de préparation

1. Amener à ébullition l'eau et le jus de cuisson des légumes; ajouter le riz; baisser le feu et laisser cuire environ 10 à 15 minutes.
2. Dans une autre casserole, dorer légèrement la viande dans le gras fondu; ajouter 1½ à 2 tasses [375 à 500 mL] d'eau, le riz mi-cuit et les légumes choisis; amener à ébullition; réduire le feu et laisser mijoter jusqu'à tendreté des légumes.
3. Retirer du feu et laisser refroidir (peu longtemps).
4. Verser dans des petits contenants d'environ ¼ de tasse [60 mL] et congeler.

— ¾ de tasse [180 mL] de tomates fraîches, pelées et coupées + ¾ de tasse [180 mL] d'oignon, de poivron vert et de céleri coupés finement.

— ½ tasse [125 mL] de céleri coupé finement + ½ tasse [125 mL] de carottes coupées en dés + ½ tasse [125 mL] de pois verts.

— ½ tasse [125 mL] de tomates fraîches + ½ tasse [125 mL] de céleri coupé finement + ½ tasse [125 mL] de haricots verts coupés ou de tout autre légume favori de l'enfant.

Rendement

3 tasses [750 mL]
1 portion d'enfant avant 1 an: ¼ de tasse [60 mL]

---

(1) genre Uncle Ben's
(2) Choix de légumes

Période de congélation
10 à 12 semaines

Riz, légumes et fromage en casserole
Ingrédients

½ *tasse [125 mL] de sauce blanche d'épaisseur moyenne*[1]
½ *tasse [125 mL] de riz cuit (brun ou étuvé)*
½ *tasse [125 mL] de légumes en purée (asperges, carottes, courgettes ou courge*
6 c. à soupe [90 mL] de fromage cheddar *râpé*

Mode de préparation
1. Mélanger tous les ingrédients.
2. Congeler en portions individuelles de ¼ de tasse [*60 mL*] environ ou réfrigérer quelques jours jusqu'au moment de servir.
3. Réchauffer au bain-marie ou utiliser la méthode décrite dans «macaroni 2 fromages» pour réchauffer au four.
4. Avant de servir, ajouter 1 c. à soupe [15 mL] de fromage râpé sur chaque portion.

Rendement
1½ tasse [375 mL] ou 6 portions de ¼ de tasse [60 mL]

Période de conservation
3 à 4 semaines au congélateur

---

(1) Voir recette parmi les pages précédentes.

Poisson poché dans du lait

Ingrédients

1 à 2 filets ou darnes de poisson de mer
[8 onces ou 240 g]
(sole, morue, sébaste, aiglefin, saumon)
1 à 2 c. à soupe [15 à 30 mL] d'oignon finement haché
¼ à ½ tasse [60 à 125 mL] de lait entier

Mode de préparation

1. Dans un poêlon, verser ¼ de tasse [60 mL] de lait et chauffer légèrement. Ajouter l'oignon; laisser cuire quelques minutes.
2. Ajouter les filets ou les darnes de poisson; recouvrir et laisser cuire à feu doux 5 à 10 minutes jusqu'à ce que la chair du poisson soit blanche (ou rose pâle dans le cas du saumon) et qu'elle se défasse à la fourchette.
3. Retirer du feu et défaire le poisson en flocons avec une fourchette, en ôtant toutes les arêtes s'il y a lieu.
4. Déposer dans de petits contenants en aluminum des portions de 1½ onces [45 g] environ avec un peu de lait et d'oignon. Recouvrir de papier d'aluminium et congeler ou servir une petite quantité immédiatement et garder le restant quelques jours au réfrigérateur.
5. Réchauffer au four à 400° F [205°C] environ 10 minutes.

Rendement

5 contenants ou portions de 1½ onces [45 g]

Période de congélation

4 à 6 semaines

Sauce blanche
Ingrédients

2 c. à soupe [30 mL] *de beurre, huile ou margarine*
2 c. à soupe [30 mL] *de farine*
½ tasse [125 mL] *de lait entier*
½ tasse [125 mL] *de bouillon de poulet ou*
d'eau de cuisson de légumes

Mode de préparation
1. Fondre le gras dans une casserole.
2. Incorporer la farine et bien mélanger; cuire quelques minutes.
3. Ajouter graduellement les liquides en brassant continuellement jusqu'à ce que la sauce épaississe;
cuire encore 1 minute.
4. Refroidir et conserver au réfrigérateur ou utiliser immédiatement dans une recette.

Rendement
1 tasse [250 mL]

Période de conservation
Environ 3 à 4 jours au réfrigérateur
Environ 4 semaines au congélateur

Légumineuses et légumes en purée
Ingrédients(1)

> 1 tasse [250 mL] de légumineuses cuites (pois, haricots rouges, fèves soya, etc.) réduites en purée, au mixeur ou au robot ou même à la moulinette.
> ½ tasse [125 mL] de purée de légumes verts ou jaunes.
> 1 tasse [250 mL] de sauce blanche d'épaisseur moyenne (encore tiède)(2)

Mode de préparation
1. À la sauce blanche encore tiède, ajouter les légumineuses et la purée de légumes; bien mélanger.
2. Verser dans des petits contenants en portions d'environ ¼ de tasse [125 mL] pour congeler ou simplement ranger au réfrigérateur quelques jours.
3. Réchauffer au bain-marie au moment de servir.

Rendement
2½ tasses [625 mL] ou
10 portions de ¼ de tasse [60 mL]

Période de congélation
4 à 6 semaines

---

(1) On peut diviser les ingrédients par 2 ou 3 pour faire de plus petites quantités à la fois.
(2) Recette page précédente.

Poulet au riz et aux légumes
Ingrédients

> ½ poulet de 2 à 3 livres [1 à 1,3 kg] coupé en 3 ou 4 morceaux
> 1 c. à café [5 mL] de persil haché finement
> eau
> 2 c. à soupe [30 mL] d'oignon émincé
> 3 carottes pelées et coupées en rondelles

1 tige de céleri coupée en morceaux
1 tasse [250 mL] de pois verts ou de haricots verts
(frais ou congelés)
½ à ⅔ de tasse [125 à 170 mL] de riz étuvé[1] non cuit

Mode de préparation
1. Placer dans une casserole le poulet, le persil; amener à ébullition, réduire le feu et laisser mijoter 15 minutes.
2. Ajouter le céleri, l'oignon et les carottes et continuer de laisser mijoter 10 minutes.
3. Ajouter la tasse de légumes verts frais ou congelés et le riz et laisser cuire environ 30 minutes ou jusqu'à ce que tous les ingrédients soient tendres.
4. Retirer du feu; retirer le poulet et le désosser délicatement.
5. Déposer la moitié du poulet et ½ tasse [125 mL] de bouillon de cuisson dans le récipient en verre du mixeur; mélanger et verser dans un grand bol; mélanger le reste du poulet de la même façon.
6. Déposer le riz et les légumes et 1½ tasse [375 mL] de bouillon dans le mixeur; mélanger légèrement et verser dans le bol; remuer la préparation, verser dans les contenants et congeler.

Rendement
3 tasses [750 mL] environ ou 12 portions de ¼ de tasse [60 mL]

Période de congélation
10 à 12 semaines

Commentaire
Cette préparation peut se faire sans mixeur lorsque l'enfant est capable de mastiquer les aliments ordinaires.

---

(1) genre Uncle Ben's

Lentilles, riz et légumes

Ingrédients

½ tasse [125 mL] de lentilles cuites écrasées ou en purée[1]
¼ de tasse [60 mL] de riz brun, cuit[2]
½ tasse [125 mL] de sauce blanche d'épaisseur moyenne[3]
¼ tasse [60 mL] de légumes verts ou jaunes cuits et coupés finement

Mode de préparation
1. Réchauffer légèrement la sauce blanche.
2. Incorporer les lentilles, le riz et les légumes et bien mélanger.
3. Refroidir et conserver au réfrigérateur ou verser dans de petits contenants d'environ ¼ de tasse [60 mL] pour le congélateur.

Rendement
1½ tasse [375 mL] ou environ 6 portions de ¼ de tasse [60 mL]

Période de conservation
3 à 4 semaines au congélateur
2 à 3 jours au réfrigérateur

---

(1) Toute autre légumineuse peut remplacer les lentilles.
(2) Un riz blanc «étuvé» peut remplacer le riz brun si désiré.
(3) Voir recette parmi les pages précédentes.

Potage de légumes
Ingrédients

½ tasse [125 mL] de lait
¼ à ½ tasse [60 à 125 mL] de légumes crus
(carottes en rondelles ou asperges coupées
en morceaux, haricots verts, coupés en
morceaux ou chou-fleur en rosettes
½ tranche de pain de blé entier
1 c.à café [5 mL] de beurre ou de margarine

Mode de préparation
1. Cuire les légumes dans très peu d'eau.
2. Déposer les légumes cuits, l'eau de cuisson,
   le lait, la demi-tranche de pain et le beurre
   dans le récipient en verre du mixeur.
3. Mélanger environ 30 secondes.
4. Réchauffer et servir.

Rendement

1½ tasse [375 mL] ou 4 portions de 3 onces [90 g]

Période de congélation
1 mois

Commentaire
Ces potages fournissent à l'enfant deux éléments importants à la fois: produits laitiers et légumes. Ils peuvent être accompagnés d'un fromage doux et de
biscottes.

«Pain mystère»
Ingrédients

1 livre [500 g] de foies de poulet (de boeuf ou d'agneau)
1 oignon moyen
1¼ livre [625 g] de boeuf maigre haché (paleron ou ronde)
⅔ de tasse [170 mL] de gruau (cuisson rapide) cru
1 tasse [250 mL] de jus de tomate
1 oeuf
½ c. à café [2 mL] de sel (après 1 an)

Mode de préparation

1. Régler le four à 350°F (180°C)
2. Déposer dans le récipient en verre du mixeur le foie cru, bien nettoyé et l'oignon coupé en quatre; mélanger jusqu'à l'obtention d'une purée assez lisse.
3. Dans un grand bol, laisser gonfler le gruau dans le jus de tomate environ 10 minutes; ajouter la purée de foie cru, le boeuf haché, l'oeuf et le sel et bien remuer.
4. Verser la préparation dans un moule à pain bien graissé. Cuire 60 à 75 minutes.
5. Retirer du four et laisser reposer 5 minutes avant de trancher. Couper en tous petits morceaux pour les bébés de 6 à 18 mois ou trancher pour les enfants plus âgés.

Rendement

16 portions et plus, pour les enfants de 6 à 18 mois
8 à 10 portions moyennes pour les enfants de 3 à 6 ans

Période de conservation

10 à 12 semaines au congélateur
3 jours au réfrigérateur

Légumineuses surprise

Ingrédients

1 tasse [250 mL] de fèves rognons ou de haricots rouges, cuits
2 c. à café [10 mL] d'huile de maïs
3 c. à soupe [45 mL] d'oignon émincé
¼ de tasse [60 mL] de maïs en grains (mis en purée si bébé ne mastique pas assez)
1 c. à café [5 mL] de pâte de tomate
1 c. à soupe [15 mL] d'eau

Mode de préparation

1. Dans le mixeur ou la moulinette, mettre les légumineuses cuites en purée.
2. Mélanger eau et pâte de tomate.
3. Dans un poêlon, faire dorer l'oignon dans l'huile; ajouter la purée de légumineuses, la pâte de tomate diluée et le maïs en grains.
4. Laisser cuire à feux doux jusqu'à ce que le tout soit bien homogène et chaud.
5. Servir tout de suite si désiré ou conserver au réfrigérateur quelques jours.
6. On peut aussi congeler la préparation dans de petits contenants et réchauffer à la dernière minute.

Rendement

1 tasse [250 mL] environ ou 4 portions de ¼ de tasse [60 mL]

Période de conservation

2 à 3 jours au réfrigérateur
4 à 6 semaines au congélateur

Macaroni «2 fromages»

Ingrédients

*2 tasses [500 mL] de macaroni cuit, passé au mixeur
avec ¾ de tasse [180 mL] de lait*
2 oeufs
1 tasse [250 mL] de lait
1 tasse [250 mL] de fromage cottage
4 à 6 c. à soupe [60 à 90 mL] de fromage râpé
(parmesan, cheddar)
2 c. à café [10 mL] de beurre ou de margarine
½ c. à café [2 mL] de sel (après 1 an)

Mode de préparation

1. Dans le récipient en verre du mixeur, battre les oeufs; ajouter le lait, le fromage *cottage*, le fromage râpé, le sel et le beurre ou la margarine.
2. Ajouter le macaroni cuit et «réduit»; bien mélanger.
3. Déposer ce mélange dans des petits plats individuels en aluminium; recouvrir de papier aluminium; étiqueter et congeler.
4. Pour servir, retirer du congélateur et faire cuire dans un four à 350°F (180°C) pendant environt 40 minutes.

Rendement

3 tasses ou 12 portions de ¼ de tasse [60 mL]

Période de congélation

4 à 6 semaines

Commentaire

Ce macaroni est moins riche que le macaroni ordinaire à cause de l'utilisation de fromage *cottage*; la saveur est plus douce. Il peut être cuit immédiatement après la préparation, dans un four à 350°F (180°C) pendant 30 minutes.

Porc et poireau en purée
Ingrédients

5 à 6 onces [150 à 180 g] de rôti de porc cuit, sans gras
1 gros poireau
½ tasse [125 mL] environ d'eau de cuisson de légumes
légumes

Mode de préparation
1. Faire cuire le poireau; conserver la partie verte pour un potage et utiliser la partie blanche pour la présente recette.
2. Déposer dans le récipient en verre du mixeur le porc coupé en petits morceaux, le poireau coupé et l'eau de cuisson de légumes. Mélanger.
3. Verser dans les cubes et congeler.

Rendement
8 à 10 cubes: 1 portion équivaut à ¼ de tasse [60 mL]

Période de congélation
10 à 12 semaines

Commentaire
Toute viande cuite maigre additionnée d'une tasse de légumes et de jus de légumes riche en vitamines peut constituer un repas semblable.

Légumes au gratin[1]
Ingrédients

1 tasse [250 mL] de sauce blanche d'épaisseur moyenne[2]

1 tasse [250 mL] de carottes cuites écrasées ou en purée

1 tasse [250 mL] d'un légume vert en purée (brocoli, pois verts, asperges)

⅓ de tasse [85 mL] de fromage mozzarella râpé

Mode de préparation

1. Réchauffer légèrement la sauce blanche; incorporer le fromage et laisser fondre en brassant quelques minutes.
2. Ajouter les légumes et bien mélanger.
3. Refroidir et verser dans de petits contenants pour le congélateur et réfrigérer jusqu'au moment de servir.
4. Réchauffer au bain-marie avant de servir.

(1) On peut diminuer toutes les quantités, si on veut préparer pour quelques repas seulement.
(2) Voir recette parmi les pages précédentes.

Rendement

3 tasses [750 mL] ou 12 portions de ¼ de tasse [60 mL]

Période de conservation

2 à 3 jours au réfrigérateur
4 à 6 semaines au congélateur

Gelée au jus de fruit

Ingrédients

1 sachet de gélatine neutre (Knox)
¼ de tasse [60 mL] d'eau froide
½ tasse [125 mL] d'eau bouillante
8 onces [250 mL] de jus
8 onces [250 mL] de purée de fruit si désiré

Mode de préparation

1. Dans un bol moyen, verser l'eau froide; saupoudrer de gélatine et laisser gonfler.
2. Verser l'eau bouillante et dissoudre la gélatine.
3. Ajouter le jus de fruit en mélangeant bien.
4. Incorporer la purée de fruit et bien mélanger.
5. Verser dans de petits bols individuels si désiré.
6. Réfrigérer quelques heures et servir lorsque le dessert est bien pris en gelée.

Rendement

11 portions de 2 onces [30 mL]

Suggestions:

— jus de raisin non sucré (*Welch* non dilué)
  avec purée de poires
— jus de pomme
  avec purée de pêche ou de banane
— jus d'orange congelé, dilué
  avec purée de fraises congelées, tamisée.

Note:

Pour les purées, on peut utiliser les fruits mis en conserve dans leur jus, sans sucre, sauf les ananas qui empêchent la gélatine d'agir.

Bibliographie

Chapitre XIII

1. *Early feeding practices, nutrient intake and growth of infants in Toronto & Montreal,*
   Yeang, D.L.; Heinz Infant Nutrition Update
   septembre 1979
2. *Le fer, problème d'absorption — problème de carence,*
   Brault-Dubuc, M.; Le Médecin du Québec,
   vol. 14, n° 4, avril 1979

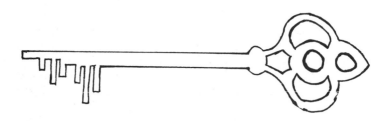

Chapitre XIV
Le menu du préscolaire (18 mois à 6 ans)

Vers l'âge de dix-huit mois, l'enfant est habituellement prêt à manger les mêmes aliments que le reste de la famille; il ne faut toutefois pas oublier «ses exigences particulières»: aliments simples, faciles à manipuler, servis *tièdes* ou à la température de la pièce, petites portions de consistance plutôt molle.

L'enfant de dix-huit mois n'a pas un gros appétit; sa croissance ralentit. Pour l'intéresser à de bons aliments, il faut user d'imagination et de ruse...

— baptiser les aliments de noms amusants: salade de Jeannot Lapin, «croque-souris», «soufflé mystère», surprise «rose»...

— rendre les aliments très attrayants: sandwiches en forme d'animaux, salade de fruits en bonhomme, quartier de melon en petit navire, nid de légumes; contraste de couleurs, de textures...

— soigner l'atmosphère des repas: comme on l'a mentionné précédemment, l'ambiance qui règne autour de la table à l'heure des repas peut stimuler l'appétit ou le faire disparaître!

— changer de décor à l'occasion: un pique-nique au parc, sur le balcon ou dans le jardin peut redonner le goût de manger...

— inviter un petit ami: la compagnie stimule l'appétit... Tous ces conseils peuvent s'appliquer à l'enfant jusqu'à l'âge de six ans.

Sept menus

1. Déjeuner

pamplemousse en quartiers
«croque-souris»•
6 onces [180 mL] de lait

Dîner

salade de la «poulette rousse»•
tartine de pain
surprise «rose»•
6 onces [180 ml] de lait

Souper

mini-omelette au bacon
pointes d'asperges
biscotte ou pain grillé, coupé en triangles
pêche «ambroisie»•
6 onces [180 mL] de lait

2. Déjeuner

jus d'orange
pain doré «soufflé»•
6 onces [180 mL] de lait

Dîner

bâtonnets de poisson «maison»•
nid de pomme de terre en purée
rempli de rondelles de carottes persillées
compote de pommes
6 onces [180 mL] de lait

Souper

potage «goutatou»•
biscotte et cubes de fromage doux
boules de cantaloup et raisins vert
6 onces [180 mL] de lait

3. Déjeuner

déjeuner «magique»•
pain grillé ou brioche

Dîner

soufflé «de la mère Michèle»•
salade de chou râpé
pain du bananier•
6 onces [180 mL] de lait

Souper

pain «mystère» (foie et boeuf)*
courgettes «plaisir»•
pomme «sourire»•
6 onces [180 mL] de lait

4. Déjeuner

orange en quartiers
gruau et fruits secs
6 onces [180 mL] de lait

Dîner

poulet et oeuf en casserole•
tomates miniatures
tartine de pain
yogourt «maison»• et fruit de saison
6 onces [180 mL] de lait

Souper

mince tranche de jambon sur pain beurré
et coupé en languettes
salade du «petit navire»•
banane «habillée»•
6 onces [180 mL] de lait

5. Déjeuner

boisson veloutée aux fruits•
petit pain chaud ou *muffin*

Dîner

«délices des mers»•
et surpersauce aux concombres•
salade de Jeannot Lapin•
neige aux pommes•
6 onces [180 mL] de lait

Souper

mini-croquette de boeuf haché
nid de pomme de terre en purée
rempli de haricots verts finement coupés
tartine de pain
poire «à la chinoise»•
6 onces [180 mL] de lait

6. Déjeuner

boisson «réveille-matin»•
pain grillé ou brioche
6 onces [180 mL] de lait

Dîner

«cache-cache» aux foies de poulet•
fleurs de brocoli et rondelles de carottes

purée de pomme de terre
fruit «soleil»•
6 onces [180 mL] de lait

Souper

macaroni au fromage
salade des fées•
superdessert aux fraises•
6 onces [180 mL] de lait

7. Déjeuner

jus de pomme «vitaminé»
oeuf à la coque
muffin au son
6 onces [180 mL] de lait

Dîner

crudités du Chaperon rouge:
quartiers de tomate et bâtonnets de céleri
«croque-saumon»•
Pop «délissofruit»•
6 onces [180 mL] de lait

Souper

poulet en sauce dans
un nid de riz persillé
courge en cubes
6 onces [180 mL] de mousse de Bamboula•

•recettes disponibles dans le livre — voir index des recettes

Recettes

«Croque-souris»

Ingrédients

1 muffin
¼ de tasse [60 mL] *de fromage* cheddar *râpé*

Mode de préparation

1. Séparer le *muffin* en deux; saupoudrer de fromage.
2. Passer sous le gril quelques minutes, le temps de laisser fondre le fromage.

Rendement

2 petites portions

Salade «de la poulette rousse»

Ingrédients

½ tasse [125 mL] *de carottes râpées*
1½ onces [45 g] *de poulet cuit, coupé en cubes*
2 c. à soupe [30 mL] *de céleri ou de poivron vert haché finement*
1 à 2 c. à soupe [15 à 30 mL] *de mayonnaise*

Mode de préparation

1. Mélanger tous les ingrédients délicatement.
2. Déposer en forme de nid dans l'assiette.
3. Garnir d'une tige de persil.

Rendement

1 portion

Surprise «rose»
Ingrédients

4 onces [125 mL] de yogourt nature
¼ de tasse [60 mL] de fraises écrasées, non sucrées
1 c. à café [5 mL] de miel (facultatif)

Mode de préparation
Mélanger les ingrédients et servir.

Rendement
1 portion

Pêches «ambroisie»
Ingrédients

3 pêches pelées et coupées en petits morceaux
1 banane tranchée
1 c. à soupe [15 mL] de jus de citron
1 c. à soupe [15 mL] de cassonade
¼ de tasse [60 mL] de noix de coco

Mode de préparation
1. Déposer les morceaux de pêche et de banane dans un plat à dessert.
2. Arroser de jus de citron; saupoudrer de cassonade et de noix de coco.
3. Servir froid.

Rendement
4 petites portions

Pain doré «soufflé»

Ingrédients

1 douzaine d'oeufs
1 livre [500 g] de fromage cottage *en crème*
6 tranches de pain de blé entier
Sirop d'érable ou miel

Mode de préparation

1. Régler le four à 350 °F [180 °C].
2. Mettre les oeufs et le fromage *cottage* dans le récipient en verre du mixeur et mélanger jusqu'à l'obtention d'une consistance lisse.
3. Étendre le pain dans le fond d'un plat beurré de 9" X 13" [23 cm x 33 cm] allant au four.
4. Verser le mélange oeuf-fromage sur le pain et cuire 30 minutes au four ou jusqu'à ce que les oeufs soient fermes et dorés.
5. Servir avec du sirop d'érable ou du miel.

Rendement

6 portions d'adulte ou 12 portions d'enfant

Commentaire

Cette recette peut facilement se diviser en deux ou trois à condition d'étendre le pain dans un plat plus petit. Ce pain doré est excellent à l'heure du déjeuner, le samedi ou le dimanche; servi le midi ou le soir, il constitue un repas léger et nourrissant.

Bâtonnets de poisson «maison»
Ingrédients

1 livre [500 g] de filet de poisson blanc (perche, sole, aiglefin)
½ tasse [125 mL] de germe de blé grillé
¼ de tasse [60 mL] de graines de sésame
1 c. à café [5 mL] de sel
½ c. à café [2 mL] de paprika
2 petits oeufs
2 c. à soupe [30 mL] d'huile de maïs

Mode de préparation

1. Graisser une tôle à biscuits ou autre plat peu profond allant au four. Régler le four à 350 °F [180 °C].
2. Étendre les morceaux de poisson sur une planche et les couper en bâtonnets de 1 pouce [2,5 cm] de largeur par 4 pouces [10 cm] de longueur.
3. Mélanger le germe de blé, les graines de sésame, le sel et le paprika dans une assiette.
4. Battre l'oeuf dans un autre plat; incorporer l'huile et agiter à l'aide d'une fourchette.
5. Rouler chaque morceau de poisson dans le mélange de germe de blé, puis tremper dans le mélange des oeufs et de nouveau dans le germe de blé. Déposer dans le plat bien graissé.
6. Cuire au four environ 15 minutes.
7. Servir chaud avec une sauce tartare «maison», une bonne salade verte et des pommes de terre «mousseline».

Rendement
4 portions d'adulte ou 8 portions d'enfant

Période de congélation
3 mois

Commentaire

Recette très aimée des petits. Bonne façon de présenter le poisson tout en lui conservant entières ses qualités nutritives. On peut remplacer le germe de blé et les graines de sésame par des céréales à grain entier bien écrasées.

Sauce tartare maison

Mélanger une quantité égale de mayonnaise, de *relish* et de cornichons sucrés.

Potage «goutatou»

Ingrédients

1 livre [500 g] de courgettes (3 à 4) lavées et tranchées
1 tasse [250 mL] de bouillon de poulet «maison»
1 c. à café [5 mL] de sel
⅛ c. à café de basilic [soupçon]
⅛ c. à café de thym [soupçon]
⅛ c. à café de marjolaine [soupçon]
2 tasses [500 mL]de lait

Mode de préparation

1. Dans une casserole, amener le bouillon et le sel à ébullition; ajouter les courgettes, couvrir et laisser mijoter jusqu'à ce qu'elles soient tendres (environ 5 à 10 mn).
2. Refroidir. Ajouter le basilic, le thym et la marjolaine.
3. Placer le tout dans le récipient en verre du mixeur et réduire en purée.
4. Remettre la purée dans la casserole et ajouter le lait graduellement; réchauffer, mais ne pas laisser bouillir.
5. Servir recouvert d'une cuillerée de yogourt nature.

Rendement

6 portions d'enfant

Période de congélation

3 à 4 mois

Déjeuner «magique»
Ingrédients

1 oeuf
4 onces [125 mL] de jus d'orange frais ou congelé et reconstitué
2 onces [60 mL] de lait

Mode de préparation
1. Mettre tous les ingrédients dans le récipient en verre du mixeur; mélanger environ 30 secondes.
2. Servir.

Rendement
1 portion

Commentaire
Déjeuner vite préparé, vite avalé!

Soufflé «de la mère Michèle»

Ingrédients

1 tasse [250 mL] de fromage canadien râpé
[4 onces ou 120 g]
2 c. à soupe [30 mL] de beurre
4 c. à soupe [60 mL] de farine à tout usage
¼ c. à café [1mL] de moutarde sèche
½ boîte de conserve de 6 onces [180 g] de thon,
bien égoutté
5 jaunes d'oeufs
1 tasse [250 mL] de lait chaud
5 blancs d'oeufs

Mode de préparation

1. Régler le four à 375 °F [190 °C].
2. Dans le récipient en verre du mixeur, déposer les 7 premiers ingrédients; mélanger environ 15 secondes.
3. Verser dans une casserole et cuire à feu doux jusqu'à l'obtention d'une consistance lisse et épaisse.
4. Battre les blancs d'oeufs jusqu'à ce qu'ils soient fermes, mais non secs.
5. Incorporer délicatement les blancs d'oeufs au mélange.
6. Verser dans un moule bien huilé de 1½ pinte [1½ litre]. Cuire au four pendant 30 minutes.

Rendement

4 portions d'enfant

Commentaire

Soufflé super qui ne rate jamais. Saveur agréable et douce pour les enfants.

Le pain du bananier

Ingrédients

1½ tasse [375 mL] de farine de blé entier
2 c. à café [10 mL] de levure en poudre
½ c. à café [2 mL] de bicarbonate de soude
½ c. à café [2 mL] de sel
1 tasse [250 mL] de son naturel*
¼ de tasse [60 mL] de noix de Grenoble hachées
¼ de tasse [60 mL] de graines de tournesol
1 oeuf légèrement battu
¼ de tasse [60 mL] de miel
¼ de tasse [60 mL] d'huile de maïs
¼ de tasse [60 mL] de lait écrémé
3 à 4 bananes mûres, écrasées

Mode de préparation

1. Mélanger ensemble les 4 premiers ingrédients secs; ajouter le son, les noix et les graines de tournesol.
2. Dans un autre bol, mélanger l'oeuf battu, l'huile, le lait et les bananes (au mixeur ou au robot, on obtient un mélange très lisse).
3. Ajouter ce mélange aux ingrédients secs et bien mélanger.
4. Verser dans un moule à pain huilé.
5. Cuire dans un four à 350° F [175° C] environ 1 heure.

Rendement

1 pain

Période de congélation

1 mois

Commentaire

Il est si savoureux que je conseille de doubler la recette afin d'en faire de bonnes réserves!

On peut congeler individuellement des tranches épaisses et en décongeler la quantité désirée.

_____

* Boîte verte de Quaker

Courgettes «plaisir»

Ingrédients

2 livres [1 kg] de petites courgettes
1 boîte de 8 onces [250 mL] de sauce tomate
½ tasse [125 mL] de fromage râpé
Sel, poivre et origan

Mode de préparation

1. Régler le four à 350 °F [180 °C]
2. Huiler un plat allant au four.
3. Laver les courgettes; les couper en tranches minces, avec la pelure.
4. Déposer une rangée de courgettes dans le plat; assaisonner; déposer une autre rangée et assaisonner.
5. Mélanger la sauce tomate et l'origan et verser sur les courgettes.
6. Saupoudrer de fromage râpé; couvrir.
7. Cuire environ 25 minutes.

Rendement

6 portions

Période de congélation

3 mois

Pommes «sourire»

Ingrédients

4 pommes
4 c. à café [20 mL] de miel
4 c. à soupe [60 mL] de noix de coco
jus de citron

Mode de préparation

1. Régler le four à 350 °F [180 °C].
2. Enlever le coeur des pommes et couper celles-ci en deux.
3. Déposer dans un plat allant au four ou sur du papier aluminium; arroser chaque moitié de miel, saupoudrer de noix de coco et arroser de jus de citron.
4. Couvrir le plat ou l'envelopper dans le papier aluminium.
5. Cuire au four de 20 à 30 minutes.

Rendement

4 portions ou 8 demi-portions

Période de congélation

3 à 5 mois

Poulet et oeuf en casserole

Ingrédients

¾ de tranche de pain de blé entier émietté
¼ de tasse [60 mL] de lait
1½ tasse [375 mL] de poulet cuit et coupé en petits cubes
1 c. à soupe [15 mL] d'oignon émincé
¼ c. à café [1 mL] de sel
1 c. à soupe [15 mL] de persil haché
2 c. à soupe [30 mL] d'huile de maïs
1 oeuf + 1 jaune d'oeuf

Mode de préparation

1. Régler le four à 350 °F [180 °C].
2. Tremper le pain dans le lait; ajouter le poulet, l'oignon, le sel, le persil et l'huile.
3. Battre les jaunes d'oeufs et ajouter au mélange.
4. Battre le blanc d'oeuf jusqu'à ce qu'il soit ferme et incorporer délicatement au mélange.
5. Verser dans un plat allant au four et déposer dans une lèchefrite contenant de l'eau chaude.
6. Cuire environ 30 minutes ou jusqu'à ce que le centre de la préparation soit sec.
7. Retirer du four et servir.

Rendement

4 portions

Yogourt «maison», version II*

Ingrédients

1 pinte [1,2 litre] de lait 2%
¼ de tasse [60 mL] de poudre de lait écrémé
¼ de tasse [60 mL] de yogourt nature

Mode de préparation

1. Mélanger le lait et la poudre de lait.
2. Faire chauffer jusqu'au point d'ébullition (180 °F [82 °C]); vérifier à l'aide d'un thermomètre.
3. Retirer du feu et laisser refroidir le mélange jusqu'à ce que le thermomètre indique de 113 °F à 116 °F [46 °C] (environ 20 minutes).
4. Dans un grand bol de pyrex ou de grès, mélanger le lait chaud graduellement avec le yogourt.
5. Recouvrir le bol d'un papier «saran» ou aluminium et envelopper dans une serviette de bain pour conserver la chaleur et éviter les courants d'air.
6. Déposer dans un endroit chaud qui ne dépasse pas 150 °F [65 °C]; (four qui a chauffé, qui est éteint et dont on a vérifié la température; près d'un radiateur ou dans une pièce chaude sans courant d'air).
7. Laisser figer pendant 5 à 12 heures. Ne pas déplacer. Plus l'endroit est chaud, plus le yogourt se fait rapidement. Dans un four éteint, il faut compter environ 8 à 10 heures (1 nuit).
   Lorsqu'il est figé, réfrigérer immédiatement.
   Se servir de ce yogourt pour préparer les recettes subséquentes.

Remarque

La préparation du yogourt est simple, mais délicate; le respect des températures est essentiel pour garantir le succès.

---

*Version 1: *Boîte à lunch,* Ed. de l'Homme, 1973.

Rendement
5 tasses [1,2 litre]

Période de congélation
1 mois

Salade du «petit navire»
Ingrédients

1 petit cantaloup
2 tranches «carrées» de fromage suisse ou canadien
laitue bien lavée, asséchée, coupée en lanières
4 cure-dents

Mode de préparation
1. Déposer la laitue dans le fond de 4 assiettes.
2. Couper le cantaloup en 4; retirer les graines et déposer sur le lit de laitue.
3. Couper les tranches de fromage en diagonale; avec les cure-dents, piquer les triangles de fromage dans le quartier de cantaloup.

Rendement
4 portions

Banane «habillée»
Ingrédients

1 banane épluchée
2 c. à soupe [30 mL] de yogourt nature
2 c. à soupe [30 mL] de noix de coco râpée ou de noix finement hachées

Mode de préparation
1. Recouvrir la banane de yogourt.
2. Rouler dans la noix de coco ou les noix.
3. Déposer la banane habillée dans une assiette à dessert et servir.

Rendement
1 portion

Boisson «veloutée» aux fruits
Ingrédients

¾ de tasse[180 mL] de yogourt «nature»
½ contenant de 6¼ onces [180 mL] de jus de raisin ou d'orange congelé

Mode de préparation

1. Déposer dans le récipient en verre du mixeur les 2 ingrédients, mélanger jusqu'à l'obtention d'une texture de lait battu.
2. Savourer...

Rendement
2 à 3 portions de 4 onces [125 mL]

Commentaire
Un vrai délice!...

«Délice des mers»
Ingrédients

1 boîte de 6 onces [180 g] de thon en conserve
1 oeuf battu
¼ de tasse [60 mL] de lait
1 c. à soupe [15 mL] d'huile végétale
¼ de tasse [60 mL] d'oignon haché
1 c. à soupe [15 mL] de persil finement haché
¼ c. à café [1 mL] de basilic

Mode de préparation
1. Régler le four à 425 °F [220 °C].
2. Mélanger ensemble l'oeuf, le lait, l'huile, l'oignon, le persil et le basilic.
3. Avec une fourchette, défaire le thon en flocons et l'incorporer au premier mélange.
4. Verser dans un petit plat allant au four.
5. Cuire au four environ 25 minutes.

Rendement
4 petites portions

Période de congélation
3 mois

Commentaire
Servir avec la supersauce aux concombres pour compléter ce repas marin.

«Supersauce aux concombres»
Ingrédients

1 petit concombre, râpé, avec ou sans pelure
½ c. à café [2 mL] d'oignon émincé
¼ de tasse [60 mL] de mayonnaise
1 c. à soupe [15 mL] de jus de citron
1 c. à soupe [15 mL] de persil finement haché
¼ de tasse [60 mL] de yogourt nature

Mode de préparation
Bien mélanger tous les ingrédients et savourer...

Rendement
¾ de tasse [180 mL]

Commentaire
Succès «assuré»!

Salade de Jeannot Lapin
Ingrédients

¼ de tasse [60 mL] de carottes râpées
¼ de tasse [60 mL] de chou râpé
1 c. à soupe [15 mL] de mayonnaise

Mode de préparation
1 . Mélanger tous les ingrédients.
2 . Servir.

Rendement
1 portion

Neige aux pommes

Ingrédients

1 tasse [250 mL] de compote de pommes (non sucrée)
2 blancs d'oeufs
1 c. à soupe [15 mL] de miel
1 c. à soupe [15 mL] de zeste de citron

Mode de préparation

1. Déposer tous les ingrédients dans le récipient en verre du mixeur; battre jusqu'à consistance de crème fouettée.
2. Servir dans de petits plats individuels.

Rendement

4 à 6 portions

Poires «à la chinoise»

Ingrédients

4 poires mûres
2 onces [60 g] de noix de Grenoble finement hachées
4 c. à café [20 mL] de miel
1 c. à café [5 mL] de cannelle ou de gingembre

Mode de préparation

1. Régler le four à 350 °F [180 °C].
2. Peler et enlever le coeur des poires.
3. Déposer les poires dans un plat allant au four.
4. Farcir le centre des poires avec le miel et les noix finement hachées.
5. Saupoudrer de cannelle ou de gingembre.
6. Cuire environ 30 minutes ou jusqu'à ce que les poires soient bien tendres.
7. Servir chaudes ou «tièdes».

Période de congélation

3 à 5 mois

Boisson «réveille-matin»

Ingrédients

1 tasse [250 mL] de jus d'orange frais ou congelé reconstitué
1 tasse [250 mL] de fraises fraîches ou de pêches en quartiers
2 oeufs
½ tasse [125 mL] de poudre de lait écrémé
½ tasse [125 mL] d'eau

Mode de préparation

1. Placer tous les ingrédients dans le récipient en verre du mixeur et bien mélanger.
2. Servir.

Rendement

4 à 6 portions d'enfant

Période de congélation

6 semaines

Commentaire

Un déjeuner dans un verre!..

«Cache-cache» aux foies de poulet
Ingrédients

4 tranches de bacon
4 foies de poulet

Mode de préparation

1. Régler le four à «gril».
2. Couper les foies de poulet et les tranches de bacon en deux.
3. Enrober chaque morceau de foie de bacon et fixer avec un cure-dent.
4. Placer sous le gril environ 8 minutes ou jusqu'à ce que le bacon soit croustillant; retourner une fois pendant la cuisson.
5. Retirer du four, enlever les cure-dents et servir.

Rendement

4 petites portions (2 morceaux par portion)

Période de congélation

3 mois

Commentaire

Je disais à ma fille en la voyant manger ces «cache-cache» avec tant d'appétit: «Tu aimes le foie maintenant.» «Non, maman, j'aime le bacon...»

Fruits «soleil»

Ingrédients

2 poires
2 bananes
12 fraises fraîches ou congelées sans sucre
1 tasse [250 mL] de yogourt nature
1 c. à café [5 mL] de cannelle
quelques noix hachées

Mode de préparation

1. Peler et enlever le coeur des poires; couper en morceaux.
2. Peler et trancher les bananes.
3. Laver et assécher les fraises fraîches; couper en deux. Combiner les fruits, le yogourt et la cannelle.
4. Réfrigérer au moins 1 heure.
5. Saupoudrer de noix hachées et servir.

Rendement

6 portions d'enfant

Commentaire

On peut remplacer les fraises par des raisins verts sans pépins.

Salade des fées

Ingrédients

1 pomme râpée avec ou sans pelure
¼ de tasse [60 mL] de raisins secs
1 c. à soupe [15 mL] de mayonnaise

Mode de préparation

1. Mélanger tous les ingrédients.
2. Réfrigérer et servir sur une feuille de laitue.

Rendement

1 portion

«Superdessert aux fraises»
Ingrédients

1 enveloppe de gélatine sans saveur
¼ de tasse [60 mL] d'eau froide
¼ de tasse [60 mL] d'eau bouillante
*1 contenant de 6¼ onces [180 mL] de jus d'orange con-
centré, congelé sans sucre*
1 contenant d'eau froide de 6¼ onces [180 mL]
*1 tasse [250 mL] de fraises fraîches ou décongelées
sans sucre*

Mode de préparation

1. Dans un grand bol, saupoudrer la gélatine sur ¼ de tasse [60 mL] d'eau froide, laisser gonfler 5 minutes.
2. Verser ¼ de tasse [60 mL] d'eau bouillante sur la gélatine gonflée et agiter pour bien dissoudre.
3. Dans le récipient en verre du mixeur, déposer fraises, jus d'orange concentré non dilué, un conte-nant d'eau froide.
4. Mélanger pour obtenir une purée lisse.
5. Verser cette purée de fraises et d'orange dans le mélange de gélatine.
6. Laisser au réfrigérateur quelques heures, jusqu'à consistance ferme.

Rendement

6 portions

Pop «délissofruit»

Ingrédients

2 tasses [500 mL] de yogourt nature

1 contenant de 6¼ onces [180 mL] de jus de fruit congelé, non sucré et non dilué

Mode de préparation

1. Dans un bol, déposer le yogourt et laisser épaissir environ 1 heure au congélateur.
2. Déposer le jus congelé, non dilué, dans le récipient en verre du mixeur, ajouter le yogourt à demi gelé; mélanger jusqu'à consistance lisse.
3. Verser dans des moules à *popsicle.*
4. Congeler.
5. Pour servir, faire couler de l'eau très chaude sur les moules afin de dégager les *pop.*

Rendement

10 *pop*

Commentaire

On peut utiliser le jus d'orange, de raisin, d'ananas; c'est un délice... pour les petits et les grands.

Mousse de Bamboula
Ingrédients

1 tasse [250 mL] de pruneaux, cuits et dénoyautés
3 bananes mûres
½ c. à café [2 mL] d'essence d'amande
¼ de tasse [60 mL] de noix de coco râpée (si désiré)

Mode de préparation
1. Placer tous les ingédients, sauf la noix de coco, dans le récipient en verre du mixeur; mélanger jusqu'à consistance lisse.
2. Incorporer la noix de coco.
3. Servir.

Rendement
4 à 6 portions d'enfant

Période de congélation
3 à 5 mois

Chapitre XV
Quelques problèmes spéciaux

Les caprices
1. Que faire avec un enfant qui refuse de manger?

Disons tout de suite qu'il n'est pas rare de voir un préscolaire faire la grève de la faim; mais quelle grève? L'enfant refuse de manger aux repas et s'empiffre d'aliments inutiles entre les repas; à la fin de la journée, il a reçu suffisamment de calories, mais le déficit en protéines, calcium et vitamines peut être sérieux.

Si cette grève est «chronique», il faut essayer d'en comprendre les raisons et d'y apporter une solution.

En général, le refus de manger est un problème de comportement qui dépasse le contexte des repas; c'est une réaction à une attitude générale des parents. L'enfant qui a été forcé de finir son biberon, qu'on a suralimenté pendant les premières années, réagit. Il a la tâche facile puisqu'à cet âge, il a naturellement moins faim; il veut s'affirmer; il veut avoir de l'attention; il constate que son refus de manger inquiète ses parents; il utilise cette inquiétude pour avoir des faveurs et de l'attention.

Ce qu'il ne faut pas faire:

—forcer l'enfant à rester à table jusqu'à ce que son assiette soit vide;
—promettre un dessert s'il finit son assiette;
—remettre les restes du dernier repas dans la même assiette au repas suivant;
—faire manger l'enfant pour papa, maman, grand-maman, tante Aline, oncle Onésime...
—parler de vitamines et d'aliments qui font grandir, pousser les cheveux, etc.

Ce qu'il faut faire:

—accepter avec calme le refus d'aliments;
—ne laisser voir aucune désapprobation ni anxiété ni dans sa voix, ou dans son regard;
—retirer l'assiette pleine et desservir comme d'habitude;
—si l'enfant désire grignoter entre les repas, refuser fermement et gentiment en expliquant que le prochain repas approche; ne pas souligner qu'il a faim parce qu'il n'a pas mangé;
—éviter de parler d'aliments, de vitamines, de caprices alimentaires pendant le repas;
—accepter de voir l'enfant jeûner quelques jours pour ensuite acquérir de meilleures habitudes alimentaires;
—lui donner le surplus d'attention qu'il désire, entre les repas!

2. L'enfant qui refuse de boire du lait peut-il grandir?

Le lait et les produits laitiers sont très importants durant la croissance de l'enfant; ils jouent un rôle de premier plan dans la formation des os et des dents; ils sont très difficiles à remplacer, car aucun autre groupe d'aliments ne possède les mêmes qualités nutritives. L'enfant peut grandir, mais ses os et ses dents seront moins résistants.

Il faut se demander pourquoi l'enfant refuse de boire le lait; est-il servi trop chaud ou trop froid? dans un trop grand verre? avec trop d'insistance? Les conseils suivants vous seront peut-être utiles.

La présentation

Servir le lait dans un verre plus petit, coloré... avec une paille; laisser l'enfant de trois ans verser lui-même son lait à l'aide d'un petit pot.

L'exemple

L'enfant est avant tout un imitateur! Si les parents boivent du lait à certains repas, ils prêchent par l'exemple, ce qui est beaucoup plus efficace que l'encouragement verbal; s'ils désirent surveiller les calories et les graisses saturées, ils peuvent boire du lait écrémé.

Le camouflage

Même si l'enfant refuse de boire du lait, il est possible de lui en faire «manger». Au déjeuner, lui donner des céréales cuites dans du lait; au dîner, lui offrir un yogourt ou une boule de lait glacé pour dessert; au souper, préparer la viande, la volaille ou le poisson dans une sauce blanche, ou un potage aux légumes avec des cubes de fromages doux (voir les équivalences).

L'habillage

Il est facile de boire du lait quand son goût est disparu... Servir des boissons composées de lait et de jus de fruit, des superboissons au yogourt et au jus de fruit; éviter d'ajouter du miel, du sucre ou du chocolat dans le lait (voir recettes des collations).

3. Comment remplacer les légumes dans l'alimentation du préscolaire?

Le légume est souvent l'aliment «problème» parce qu'il est celui sur lequel la maman insiste le plus; forcer l'enfant à terminer ses légumes peut le dégoûter de ceux-ci...

Avant de les retirer du menu de l'enfant, examinons pourquoi il ne les aime pas.

Les parents aiment-ils les légumes? En mangent-ils une grande variété régulièrement? Il ne faut jamais sous-estimer l'importance du comportement alimentaire des parents et son influence sur les enfants. Les goûts du père de famille en particulier ont beaucoup de répercussions sur les habitudes alimentaires des enfants; s'il n'aime pas le brocoli, les carottes ni les asperges, les enfants risquent de les refuser; s'il les mange avec appétit, les enfants l'imiteront.

La présentation des légumes a également un grand rôle à jouer dans l'acceptation; le légume trop cuit, qui a perdu sa couleur, sa texture et par conséquent sa saveur risque de faire «tapisserie»; le légume cuit à point, tendre mais encore ferme, de couleur vive, servi en petite portion est mieux accepté.

L'enfant accepte plus facilement de manger des légumes divers s'il a goûté à plusieurs légumes lors de la période des purées ou avant l'âge de deux ans.

La mère a-t-elle essayé tout le répertoire des légumes disponibles avant de capituler? Il ne faut pas démissionner après un seul refus; la persévérance est une des clés du succès dans la formation de bonnes habitudes alimentaires. Un légume souvent «refusé», servi avec une viande «favorite», peut soudainement recevoir l'approbation.

Les légumes *crus* ont en général plus de succès auprès des petits; les vitamines et minéraux sont préservés, les fibres, ou la cellulose, plus présentes dans ces crudités contribuent au bon fonctionnement des intestins; il n'y a donc pas de raison d'exclure ces légumes de l'alimentation de l'enfant... Ils se mangent aux repas ou comme collation.

En voici quelques exemples: bâtonnets de carotte et de céleri, salade de chou ou de carottes râpées, salade de laitue et d'épinards, rondelles de poivron vert et de concombre, tomates miniatures et rosettes de chou-fleur.

Si on a tout essayé et que l'enfant persiste à refuser les légumes *cuits* et les légumes *crus,* on doit lui fournir une autre bonne source de vitamines, de minéraux et de cellulose. La nature fait bien les choses; en effet, les fruits et les jus de fruits possèdent à peu près les mêmes qualités nutritives que les légumes. Les deux portions de légumes que l'enfant doit prendre tous les jours peuvent temporairement être remplacées par deux portions de fruits.

La famille des fruits est variée en couleur, en saveur et aussi en valeur nutritive; un choix de fruits riches en vitamines et minéraux sera plus profitable à l'enfant. Parmi les meilleurs, on retrouve: le cantaloup, les fraises, les agrumes (orange et pamplemousse), les abricots frais ou secs, les pêches, les pruneaux, la pastèque. Les jus de fruits congelés et reconstitués (orange, pamplemousse et raisin) sont de bonnes sources de vitamine C. Les nectars d'abricot et de pruneau fournissent plus de vitamine A et de fer. Les boissons à saveur de fruits, enrichies de vitamine C, ne sont pas recommandées.

4. Un enfant qui refuse la viande peut-il manger d'autres aliments aussi nutritifs?

Lorsqu'il s'agit de refus systématique d'un aliment, les réflexions de l'article 1 peuvent être lues avec profit.

La viande n'est pas indispensable dans l'alimentation de l'enfant; elle peut être remplacée par d'autres excellentes sources de protéines, comme la volaille, le poisson, les oeufs, le fromage. Par contre, chaque fois qu'on supprime un aliment faisant partie du menu de l'enfant, on risque de le rendre plus monotone. On peut toutefois remplacer une once[30 g] de viande par:

— 1 once [30 g] de poisson frais ou en conserve
— 1 once [30 g] de volaille
— 1 once [30 g] de fromage de type *cheddar*
— 1 oeuf
— ¼ tasse[60 mL] de fromage *cottage*
— 6 onces [180 mL] de yogourt
— 6 onces [180 mL] de lait.

L'enfant qui ne mange ni viande ni abats (foie, coeur, rognon), doit manger des mollusques (huîtres, palourdes ou pétoncles), des haricots secs (haricots blancs, de Lima *fèves au lard*), des fruits secs, des céréales à grain entier et des légumes verts pour recevoir une quantité suffisante de fer; cet élément nutritif fait souvent défaut dans l'alimentation des petits Canadiens; pourtant, il joue un rôle important dans le transport de l'oxygène dans le sang.

5. Comment discipliner l'enfant qui joue à l'heure des repas?

La discipline à l'heure des repas n'est pas différente de celle d'une autre activité de la journée; elle sous-entend une autorité «calme et constante» de la part des parents; elle n'implique pas une réglementation sévère, mais le respect de certains règlements.

L'heure des repas est un moment de détente, d'échanges, mais non de jeu; l'enfant reposé avant de se mettre à table est moins agité lorsqu'il est à table; si le repas se prolonge autour d'une conversation «adulte», l'enfant peut se retirer de table.

6. Comment réduire la consommation de sucre chez les petits?

La solution est simple: ne plus leur en offrir!...

Le sucre que l'on retrouve dans les bonbons, boissons gazeuses et autres friandises ne fournit que des calories vides qui donnent à l'enfant de l'énergie «temporaire», mais ne l'aident pas du tout à grandir ni à se maintenir en forme. Une consommation abondante d'aliments sucrés empêche l'enfant de manger de meilleurs aliments et gâte ses dents. Les parents sont les grands responsables de ce problème; ils confèrent au sucre un pouvoir inouï!

«Voici un bonbon parce que tu as été sage.»

«Viens te consoler avec un bon morceau de chocolat.»

«Tu ne veux pas manger tes carottes, essaie avec un peu de sucre...»

«Un pamplemousse sans sucre, c'est amer.»

«Finis tes céréales, ajoute un peu de sucre...»

«Le jus d'orange est bien meilleur avec un peu de sucre.»
«Un repas sans dessert sucré n'est pas un vrai repas.»
«Mon enfant n'aime que le lait au chocolat...»

Toutes ces remarques démontrent à quel point les parents peuvent (inconsciemment, je l'espère) enraciner le goût du sucre chez leur enfant. Le sucre a envahi nos habitudes alimentaires: 110 livres [50 kg] par année, par personne au Canada, c'est beaucoup de sucre!

Il faut réagir et donner une allure nouvelle aux habitudes alimentaires «familiales»; il faut aider l'enfant, et non le punir en lui coupant ses bonbons «récompense et plaisir».

Sera-t-il prêt à accepter ce changement s'il voit ses parents en grignoter toute la soirée devant la télévision?

Les bonnes résolutions doivent se prendre en famille! Il faut:
—éliminer les tentations et ne plus acheter de bonbons;
—diminuer graduellement les desserts sucrés et les remplacer par des fruits;
—éviter de donner au sucre une valeur «émotive» (récompense, consolation, plaisir, fête...).

Le jeune enfant qui apprend à goûter et à apprécier la vraie saveur des fruits, des légumes, du lait, ne sera pas esclave du sucre.

Mieux vaut prévenir que guérir!

7. Y a-t-il un danger à boire trop de lait?

Certains enfants boivent *trop* de lait et peuvent avoir des problèmes. Le lait est un aliment très nourrissant, mais il n'est pas «parfait»; on a vu que, dès l'âge de trois semaines, il fallait ajouter un supplément de vitamine D pour compléter l'alimentation lactée.

Plus l'enfant grandit, moins le lait peut fournir à lui seul tous les éléments nurtritifs essentiels; le lait est particulièrement pauvre en fer et en vitamine C.

L'enfant qui en boit trop, c'est-à-dire beaucoup plus que la quantité minima recommandée (20 onces [625 mL] par jour), n'a plus faim; il ne peut que grignoter lorsque l'heure des repas arrive; il ne mange pas suffisamment de viande, de légumes, de fruits et de céréales et risque de souffrir d'anémie.

Le lait a un rôle important à jouer à l'intérieur d'une alimentation équilibrée, mais, pour bien remplir son rôle, il doit partager la vedette avec d'autres aliments importants.

On peut corriger cette mauvaise habitude:

— en diminuant les collations lactées et en les remplaçant par des jus de fruits;
— en offrant le verre de lait à la fin du repas, et non au début; ainsi, tout rentrera progressivement dans l'ordre.

Questions de santé
1. L'enfant allergique au lait

Plusieurs mères pensent que leur enfant est allergique au lait alors qu'il s'agit, en fait, d'un autre problème; 75% des mères se trompent dans leur diagnostic. En effet, seulement 0,3 à 7% des nourrissons manifestent une réelle allergie au lait de vache.

Un bébé qui régurgite après une tétée n'est pas allergique au lait; il a peut-être bu trop vite sans arrêter pour passer un ou deux rots. La durée normale d'une tétée est de 20 à 30 minutes.

Le bébé de quelques mois qui souffre de gastro-entérite peut «temporairement» mal tolérer le lait, mais il n'est pas allergique.

Une maman qui change de formule de lait toutes les semaines, sans demander l'avis de son médecin, ne règle pas le problème d'intolérance au lait de son bébé; au contraire, elle nuit à sa digestion.

Un bébé vraiment allergique au lait peut avoir une croissance normale grâce à des formules préparées sans lait, à base de fève soya ou de viande comme *HSC Lambs* base, *Nutramigen, Mull-Soy, Neo-Mull-Soy, Sobee, Prosobee, Similac, Isomil.* Le médecin de famille ou le pédiatre est le seul à pouvoir diagnostiquer l'allergie au lait et, par la suite, conseiller le choix d'une formule appropriée au bébé.

2. L'enfant constipé

Une alimentation adéquate peut jouer un grand rôle dans le traitement de la constipation *chronique.*

Certains aliments contenant de la cellulose contribuent à faciliter le travail intestinal: céréales de son, céréales à grain entier, fruits et légumes crus, fruits secs (pruneaux, raisins, dattes, figues). Un enfant qui boit *trop* de lait et ne mange pas suffisamment de fruits et de légumes peut être constipé.

L'exercice physique et une consommation suffisante de liquides (eau et jus de fruits) aident à lutter contre la constipation.

Les laxatifs rendent les intestins paresseux et doivent être évités autant que possible.

3. L'enfant qui souffre de diarrhée

La diarrhée est toujours un problème sérieux, plus grave chez le nourrisson que chez le préscolaire. Dans tous les cas, il vaut mieux communiquer avec son médecin de famille ou son pédiatre pour recevoir un traitement adéquat.

Un enfant qui mange trop de sucre, qui est surexcité peut souffrir de diarrhée.

4. L'enfant qui a une indigestion

Il est bon de consulter immédiatement son médecin de famille ou son pédiatre lorsqu'un tout-petit (zéro à deux ans) a une indigestion.

Après cet âge, le traitement habituel consiste en un jeûne prolongé (½ à 1 journée) après la fin des vomissements; ce jeûne permet à l'estomac dérangé de se reposer.

Quelques gorgées d'eau minérale ou ordinaire toutes les demi-heures désaltèrent l'enfant. L'alimentation solide reprend progressivement les jours suivants. On commence de préférence avec des aliments semi-solides qui n'irritent pas l'estomac: céréales cuites tamisées, pain grillé, oeuf à la coque, crèmes, banane mûre, compote de pommes.

5. L'enfant trop maigre

Comme on l'a vu au chapitre XIV, l'enfant d'un an et demi à six ans a une croissance irrégulière; à cause des poussées et des ralentissements de croissance, le préscolaire n'a pas une faim constante. L'appétit est fragile, et les réserves de graisse se font rares, surtout si l'enfant est très actif. Tout à coup, l'enfant se met à grandir rapidement et ne réussit pas à reprendre suffisamment de poids pour équilibrer sa taille.

Il ne faut s'alarmer outre mesure.

La situation peut s'améliorer en essayant de contrôler à la fois l'activité de l'enfant et son apport alimentaire. En diminuant son activité et en augmentant le nombre de calories dans son alimentation, il pourra prendre du poids.

Un enfant, jusqu'à l'âge de six ans, a besoin d'une certaine dose de sommeil pour lui permettre de récupérer physiquement et nerveusement. Si l'enfant «maigre» ne se repose jamais le jour et s'il se couche le soir à la même heure que ses parents, il est clair qu'il dépense trop d'énergie et qu'il ne peut faire de réserves de graisse! Sans lui imposer une sieste quotidienne, on peut prévoir dans sa journée une période d'au moins une heure au cours de laquelle il pourrait se reposer physiquement (lecture d'histoire, coloriage, audition de disques); l'heure du coucher pourrait être devancée afin d'augmenter les heures de sommeil de l'enfant. Il ne faut pas oublier qu'un enfant fatigué a plus de difficulté à manger qu'un enfant reposé.

D'autre part, cet enfant doit recevoir plus de calories. Une révision de ses habitudes alimentaires est essentielle.
— L'enfant mange-t-il à l'heure des repas?
— Grignote-t-il entre les repas?
— Mange-t-il beaucoup ou peu?
— Que mange-t-il dans une journée?
— Aime-t-il plusieurs aliments?

Une réponse précise à chacune de ses questions va permettre d'élaborer un plan pour enrichir son alimentation.

Si l'enfant mange peu, il faut se souvenir que la régularité de l'horaire des repas favorise un meilleur appétit et que le grignotement entre les repas l'amoindrit.

Si, par contre, l'enfant mange beaucoup, il faut «enrichir» ses menus afin d'augmenter le nombre de calories sans augmenter la quantité d'aliments.

Au déjeuner, par exemple:
—faire cuire les céréales dans du lait entier au lieu de l'eau;
—lui servir des omelettes ou des oeufs brouillés au lieu d'un oeuf à la coque ou poché;
—lui donner des *muffins* ou des brioches au lieu du simple pain grillé;
—lui donner du lait entier au lieu du lait 2%.

Aux autres repas:
—lui servir des potages ou des soupes en crème au lieu des bouillons, des consommés ou des jus de légumes;
—napper les viandes, volailles ou poissons de bonnes sauces blanches ou brunes;
—servir des pommes de terre «mousseline» (avec lait et beurre) au lieu de les lui donner «nature», bouillies ou cuites au four;
—garnir ses salades de crème sure, de vinaigrettes épaisses;
—ajouter du beurre sur ses légumes;
—lui donner des petits pains, des biscuits, des desserts faits au lait ou à la crème.

Entre les repas, s'il a encore faim:
— lui offrir des laits battus (lait, fruit et crème glacée); etc.);
—lui préparer de bons biscuits fourrés de fruits secs et de noix.

Une promenade quotidienne à l'extérieur stimule aussi l'appétit!

6. L'enfant trop gras

Avant l'âge de six ans, l'enfant trop gras se rencontre moins souvent que l'enfant trop maigre; il est quand même important d'apporter une solution à ce problème avant qu'il ne soit trop tard.

Au Canada, 30% des adolescents, 43% des adultes de 20 à 39 ans et 63% des adultes de 40 à 65 ans souffrent d'embonpoint.

Perspectives plutôt sombres... quand on sait que l'obésité à l'âge adulte multiplie les risques de maladies, tels l'hypertension, le diabète, l'artériosclérose.

La visite annuelle chez le pédiatre ou le médecin de famille permet de contrôler la courbe de poids de l'enfant. Si on le juge trop gras, il faut tenter de lui faire perdre du poids et changer ses «habitudes de vie» en même temps que ses habitudes alimentaires.

En effet, plusieurs études ont démontré que l'enfant obèse ne mange pas plus qu'un autre enfant, mais il est beaucoup moins actif.

L'enfant trop gras doit d'abord faire plus d'exercice et... regarder moins la télévision!

La recherche de la *cause* de cet embonpoint est aussi importante que le traitement diététique proprement dit. L'enfant qui cherche dans les aliments un réconfort affectif répondra assez mal à une restriction alimentaire, tandis que l'enfant habitué à manger beaucoup parce qu'entouré de gros mangeurs réagira mieux.

Un régime amaigrissant pour un enfant de cet âge peut presque passer inaperçu si la mère est bien avisée; les calories ne sont diminuées que légèrement à cause des besoins nutritifs élevés pendant la croissance. Une perte d'une à deux livres [½ à 1 kg] par semaine est suffisante.

On ne doit jamais éliminer les aliments de base: lait, viande, fruits, légumes et céréales; par contre, il est permis de remplacer un aliment par un autre contenant les mêmes qualités nutritives, mais moins de calories.

On peut toujours soustraire les aliments inutiles ou superflus comme les bonbons, les croustilles *(chips)*, etc.

L'enfant peut perdre une livre [½ *kg*] *par semaine en remplaçant tous les jours:*

20 onces [625 mL] de lait «entier» par 20 onces [625 mL] de lait «écrémé»
1 collation riche (carré aux dattes) par un fruit (1 pomme)
1 dessert riche (½ tasse [125 mL] de crème glacée) par un fruit (1 pêche)

Une diminution d'environ 500 calories par jour lui assure une perte de poids «non-douloureuse».

La mère d'un enfant qui a tendance à prendre du poids doit surveiller de plus près la qualité et la quantité des aliments qu'elle lui sert; elle doit aussi se rendre compte que la méthode de cuisson influence le nombre de calories dans un aliment; des aliments frits et cuits dans le beurre fournissent beaucoup plus de calories que des aliments grillés ou cuits à la vapeur.

Grâce à la prévoyance de ses parents, l'enfant trop gras qui se convertit à de meilleures «habitudes de vie» (alimentation mieux balancée et augmentation de l'activité physique) avant l'âge de six ans, se prépare un avenir plus sain et plus heureux!

Chapitre XVI
L'amour suit la connaissance

L'enfant apprend avec ses sens

Les premières années de vie sont des années «d'exploration» du monde extérieur, des années remplies d'expériences visuelles, auditives, gustatives, olfactives.

L'enfant découvre peu à peu les couleurs, les textures, les formes, les odeurs et les saveurs. Dès les premiers mois, ses yeux préfèrent le jouet «rouge» au petit chien beige, les carottes «orange» aux haricots verts; ses doigts réagissent aux différentes textures et différencient le chien de peluche, le ballon lisse de la poupée de ratine; ses papilles goûtent toute une gamme de saveurs nouvelles et, déjà, elles sélectionnent (la purée de banane se termine plus rapidement que la purée de viande); ses oreilles reconnaissent la mélodie de la boîte musicale; son nez renifle les bons parfums.

Tout ce que l'enfant capte et enregistre au cours des premières années de vie lui parvient par l'intermédiaire de ses sens. Plus on fournit à l'enfant des occasions de voir, toucher, goûter, sentir, entendre, mieux il connaît son monde extérieur et plus il est apte à y faire face.

On entraîne ses sens comme on entraîne ses muscles...
L'enfant aime ce qu'il connaît; le beau jouet qu'il a vu, le
chat qu'il a caressé, le melon qu'il a goûté, la rose qu'il a
sentie, la chanson qu'il a entendue! «Je suis tout ce que j'ai
connu», dit la chanson.

Les aliments font partie du monde extérieur de l'enfant;
plus on lui permet de mieux les connaître, plus il a de
chances de les aimer.

Ayant toujours à l'esprit la formation de bonnes
habitudes alimentaires, ce dernier chapitre suggère des activités, des jeux, des expériences à vivre avec l'enfant et qui
lui permettront de découvrir et d'apprécier une grande
variété d'aliments, tout en s'amusant.

Visitons le marché, la ferme...

Le supermarché (activité pour un enfant de deux ans et
demi ou plus)

C'est un vrai plaisir pour l'enfant d'accompagner sa
maman au supermarché; assis dans un carosse «d'argent»,
il découvre tout un monde d'aliments. L'expérience peut
être à la fois agréable pour la mère et valable pour l'enfant,
même si elle ne se fait qu'à l'occasion.

Le marché se fait mieux *après* le repas: il dispense la
mère des lamentations de l'enfant «affamé»; par contre, il
ne faudrait jamais prendre l'habitude d'acheter une frian-
dise ou un biscuit pour calmer l'enfant trop agité; si l'heure
de la collation est arrivée, l'enfant peut croquer dans une
bonne pomme ou grignoter une mini-boîte de raisins secs.

Au cours de cette visite, l'enfant apprend en regardant
sa mère remplir son panier à provisions; dans l'esprit de
l'enfant, les aliments que sa mère choisit sont bons! Bons
pour la famille et bons pour lui! S'il ne voit que boîtes de conserve, produits congelés, mets tout préparés, il n'apprendra
pas grand-chose et aura une triste image d'une bonne
alimentation.

Si, au contraire, la mère achète des aliments de base
(viande, fruits et légumes, céréales et produits laitiers) et

qu'elle explique à l'enfant pourquoi elle achète tel légume ou telle viande (pour telle salade, tel plat), il aura l'impression de participer activement et en sera fort heureux; de temps en temps, il peut lui-même choisir entre deux sortes de fromage, deux légumes, deux fruits de valeur nutritive équivalente; s'il a voix au chapitre au moment du choix de l'aliment, il aura le goût de le connaître et n'osera pas le refuser une fois dans son assiette.

Le marché de fruits et légumes (à partir de trois ans)

Visiter le marché en famille est un luxe de la belle saison dont il faut savoir profiter au maximum. De juin à la mi-octobre, il est encore possible d'acheter des fruits et des légumes dans des marchés extérieurs. Pour l'enfant c'est une activité qu'il ne faut pas négliger.

Il peut renifler l'odeur des fruits et des légumes frais; il apprend à reconnaître les caractéristiques d'un bon légume ou d'un bon fruit: la blancheur du chou-fleur, la fermeté du poivron vert, la robe reluisante des aubergines et des courgettes, la couleur prononcée des fraises, etc.! Quel plaisir que de croquer dans les premières carottes de la saison!

La saveur des légumes et des fruits en saison est ir-remplaçable; c'est le moment idéal pour en communiquer le goût à nos enfants.

Le marché de poisson (pour les trois ans et plus)

Le marché de poisson offre tout un spectacle à l'enfant curieux et attentif aux phénomènes de la nature. Pas besoin d'aller à la mer pour découvrir les mollusques et les crustacés; il peut y voir des moules, des palourdes, des huîtres, des bigorneaux, des escargots. Quelle surprise que de voir nager des homards «verts» dans les bacs d'eau salée et de les retrouver «écarlates» dans les comptoirs réfrigérés.

Quelle excitation que de découvrir les cuisses de grenouilles... ou encore, une pieuvre...

Le poisson ne fait pas exception à la règle; l'enfant l'aime s'il a été habitué très jeune à en manger et si la mère l'a apprêté de façon à en respecter toute la saveur.

Pour doubler le plaisir, l'enfant peut à l'occasion choisir son propre poisson!

La ferme (pour les trois ans et plus)

Ramasser un oeuf encore tiède dans le poulailler, voir traire une vache, apercevoir la queue en tire-bouchon des petits cochons roses; courir dans des champs de blé ou de maïs, assister à une épluchette de *blé d'inde*; grimper dans un pommier pour y cueillir des pommes bien mûres; voilà autant d'expériences qui informent l'enfant sur l'origine des aliments. Durant la belle saison, plusieurs fermes autour des grandes villes ouvrent leurs portes au public intéressé.

Une randonnée à la campagne (pour les trois ans et plus)

Avec de bons yeux et un peu de chance, on peut découvrir plusieurs plantes comestibles dans la nature au cours d'une simple randonnée à la campagne. Chaque mois d'été nous offre sa spécialité: en mai, ce sont les jeunes pousses de la grande fougère appelées «têtes de violon», légume tendre et délicieux qui se cuit comme des haricots verts; en juin, les feuilles du pissenlit font une excellente salade et fournissent beaucoup de vitamine C; juillet nous apporte les fraises des champs si savoureuses ainsi que les framboises sauvages; le mois d'août nous offre des bleuets miniatures, mais délicieux. À l'automne, les amandes du noyer, du noisetier, du chêne sont succulentes. Et que dire des marrons!

L'enfant qui mange les fraises ou les bleuets qu'il a cueillis lui-même dans le champ apprend à en apprécier la saveur.

Savons-nous planter des choux?

Il ne faut qu'un peu de terre, d'eau, de soleil, et beaucoup d'amour... pour faire pousser ses propres légumes! Même au coeur d'une grande ville, l'enfant peut goûter les joies d'un jardin potager.

Récolte de tomates miniatures (pour les trois ans et plus)

Dès la fin du mois de mars, il est possible d'acheter chez un horticulteur un plant de tomates miniatures que l'on plante dans un pot à fleurs d'environ dix pouces [25 cm] de diamètre. On dépose le pot au bord d'une fenêtre ensoleillée. Le jardinier «en herbe» se voit confier la responsabilité d'arroser; mieux vaut guider et surveiller les opérations...

Lorsque le temps chaud arrive, on sort le pot dehors, sur la terrasse ou sur le balcon, dans un coin ensoleillé; on fait grimper le plant sur une grille ou autour d'un tuteur.

Si le jardinier a bien fait son travail, il pourra récolter avec fierté plusieurs tomates miniatures.

Petit pois deviendra grand (pour les trois ans et plus)

Semer des petits pois permet à l'enfant d'observer toutes les étapes de développement d'un légume: graines feuilles, fleurs, gousses et petits pois. L'expérience en vaut la peine!

À l'arrivée du printemps, l'enfant peut lui-même semer dans un pot d'une dizaine de pouces [25 cm] de diamètre, rempli de bonne terre, deux à trois petits pois à semence. Déposez le pot près d'une fenêtre ensoleillée et arrosez régulièrement lorsque la terre est sèche.

Au bout de quelques semaines, l'enfant apercevra une tige, puis des feuilles. Dès qu'il fera suffisamment chaud à l'extérieur, placez le pot dans un coin ensoleillé du jardin ou du balcon, près d'une clôture ou d'un treillis, car les petits pois forment une plante grimpante.

L'enfant y verra successivement pousser des fleurs, puis des gousses qui formeront peu à peu des petits pois.

Comment décrire la joie de l'enfant qui savoure les petits pois (crus ou cuits) qu'il a lui-même semés.

Faisons notre pain quotidien
(Activité pour un enfant d'au moins quatre ans)

Quoi de plus palpitant à découvrir (dans une cuisine...) qu'une pâte à pain gonflée sous l'effet de la levure? Quoi de plus sublime à respirer que l'odeur du bon pain chaud sortant du four? Quoi de plus agréable que de le dévorer?

L'enfant qui a traversé un champ de blé, qui a vu moudre le grain et qui participe à la fabrication du pain, vit une expérience unique!

La préparation du pain est simple; on doit tcutefois prévoir environ quatre heures pour permettre à la pâte de lever deux fois et de cuire. Le début de l'avant-midi ou de l'après-midi constitue le moment idéal pour entreprendre cette recette: la cuisson coïncide avec l'heure d'un repas et la dégustation ne gâte pas l'appétit.

Pain de blé entier

Ingrédients

5 à 6 tasses [1,2 à 1,5 litre] de farine de blé entier
1 tasse [250 mL] d'eau bouillante
2 c. à café [10 mL] de sel
1 c. à soupe [15 mL] de margarine
5 c. à soupe [75 mL] de poudre de lait écrémé
¼ de tasse [60 mL] de miel
¾ de tasse [180 mL] d'eau froide
1 enveloppe de levure déposée dans ¼ de tasse
[60 mL] d'eau tiède

Mode de préparation
(la mère fait les six premières opérations)

1. Déposer dans un grand bol le miel, la margarine et le sel.
2. Y verser l'eau bouillante et bien mélanger.
3. Ajouter l'eau froide et mélanger jusqu'à ce que la préparation soit tiède.

4. Ajouter la levure gonflée et 3 tasses [750 mL] de farine (1 tasse [250 mL] à la fois); mélanger jusqu'à consistance lisse.
5. Ajouter la poudre de lait et battre la préparation 2 minutes.
6. Ajouter le reste de la farine et bien mélanger.
7. Pétrir la pâte; montrer à l'enfant comment faire et le laisser pétrir quelques minutes.
8. Lorsque la pâte est bien pétrie, badigeonner la surface d'un peu d'huile végétale, recouvrir d'un linge humide et laisser doubler de volume.
9. Lorsque la pâte a doublé, laisser l'enfant observer le changement; il peut lui-même abaisser la pâte d'un bon coup de poing au centre.
10. Pétrir de nouveau avec l'aide de l'enfant et faire deux petits pains. Déposer dans des moules bien graissés, recouvrir et laisser doubler de volume.
   ou
   Diviser la pâte en petits morceaux et laisser l'enfant «sculpter» ses petits pains; recouvrir d'un linge humide et laisser doubler de volume dans un endroit à l'abri des courants d'air, tout en expliquant à l'enfant ce qu'est la levure et comment elle fait gonfler le pain.
11. Lorsque la pâte a de nouveau doublé, cuire dans un four à 350 °F [180 °C] jusqu'à ce que les pains soient dorés et croustillants à l'intérieur.

Table des matières

Index des tableaux

Index des recettes

COLLATIONS

DÉJEUNERS

VIANDES, VOLAILLES ET POISSONS

METS PRINCIPAUX SANS VIANDE

LÉGUMES ET SALADES

FRUITS ET DESSERTS

Index des sujets

Affaires et vie pratique

* Acheter et vendre sa maison ou son condominium, Lucille Brisebois
* Acheter une franchise, Pierre Levasseur
* Les assemblées délibérantes, Francine Girard
* La bourse, Mark C. Brown
* Le chasse-insectes dans la maison, Odile Michaud
* Le chasse-insectes pour jardins, Odile Michaud
  Le chasse-taches, Jack Cassimatis
* Choix de carrières — Après le collégial professionnel, Guy Milot
* Choix de carrières — Après le secondaire V, Guy Milot
* Choix de carrières — Après l'université, Guy Milot
* Comment cultiver un jardin potager, Jean-Claude Trait
  Comment rédiger son curriculum vitæ, Julie Brazeau
* Comprendre le marketing, Pierre Levasseur
  Des pierres à faire rêver, Lucie Larose
* Des souhaits à la carte, Clément Fontaine
* Devenir exportateur, Pierre Levasseur
* L'entretien de votre maison, Consumer Reports Books
  L'étiquette des affaires, Elena Jankovic
* Faire son testament soi-même, Me Gérald Poirier et Martine Nadeau Lescault
  Les finances, Laurie H. Hutzler
  Gérer ses ressources humaines, Pierre Levasseur
  La graphologie, Claude Santoy
* Le guide complet du jardinage, Charles L. Wilson
* Le guide de l'auto 92, Denis Duquet et Marc Lachapelle
* Le guide des bars de Montréal, Lili Gulliver
* Le guide des bons restaurants de Montréal et d'ailleurs, Josée Blanchette
  Guide du savoir-écrire, Jean-Paul Simard
* Le guide du vin 92, Michel Phaneuf
* Le guide floral du Québec, Florian Bernard
  Guide pratique des vins de France, Jacques Orhon
  J'aime les azalées, Josée Deschênes
* J'aime les bulbes d'été, Sylvie Regimbal
  J'aime les cactées, Claude Lamarche
* J'aime les conifères, Jacques Lafrenière
* J'aime les petits fruits rouges, Victor Berti
  J'aime les rosiers, René Pronovost
  J'aime les tomates, Victor Berti
  J'aime les violettes africaines, Robert Davidson
  J'apprends l'anglais..., Gino Silicani et Jeanne Grisé-Allard
  Le jardin d'herbes, John Prenis
* Lancer son entreprise, Pierre Levasseur
  Le leadership, James J. Cribbin
* La loi et vos droits, Me Paul-Émile Marchand
  Le meeting, Gary Holland
  Mieux comprendre sa vie de travail, Claude Poirier et Nicole Gravel
* Mon automobile, Gouvernement du Québec et Collège Marie-Victorin
  Notre mariage — Étiquette et planification, Marguerite du Coffre
  Nouveaux profils de carrière, Claire Landry

L'orthographe en un clin d'œil, Jacques Laurin
* Ouvrir et gérer un commerce de détail, C. D. Roberge et A. Charbonneau
Le patron, Cheryl Reimold
* Piscines, barbecues et patios, Collectif
* La prévention du crime, Collectif
* Prévoir les belles années de la retraite, Michael Gordon
Les relations publiques, Richard Doin et Daniel Lamarre
* Les secrets d'une succession sans chicane, Justin Dugal
La taxidermie moderne, Jean Labrie
* Les techniques de jardinage, Paul Pouliot
Techniques de vente par téléphone, James D. Porterfield
* Tests d'aptitude pour mieux choisir sa carrière, Linda et Barry Gale
* Tout ce que vous devez savoir sur le condominium, Robert Dubois
Une carrière sur mesure, Denise Lemyre-Desautels
L'univers de l'astronomie, Robert Tocquet
La vente, Tom Hopkins

Affaires publiques, vie culturelle, histoire

* La baie d'Hudson, Peter C. Newman
Bourassa, Michel Vastel
Les cathédrales de la mer, Marie-Josée Ouellet
Claude Léveillée, Daniel Guérard
* Les conquérants des grands espaces, Peter C. Newman
* Dans la tempête — Le cardinal Léger et la révolution tranquille, Micheline Lachance
La découverte de l'Amérique, Timothy Jacobson
* Duplessis, tome 1 — L'ascension, Conrad Black
* Les écoles de rang au Québec, Jacques Dorion
* L'establishment canadien, Peter C. Newman
* Le frère André, Micheline Lachance
La généalogie, Marthe F. Beauregard et Ève B. Malak
Gilles Villeneuve, Gerald Donaldson
Gretzky — Mon histoire, Wayne Gretzky et Rick Reilly
Initiation à la symphonie, Marcelle Guertin
Les insolences du frère Untel, Jean-Paul Desbiens
* Jacques Parizeau, un bâtisseur, Laurence Richard
* Les mots de la faim et de la soif, Hélène Matteau
* Notre Clémence, Hélène Pedneault
* Option Québec, René Lévesque
Parce que je crois aux enfants, Andrée Ruffo
Plamondon — Un cœur de rockeur, Jacques Godbout
Le prince de l'église, Micheline Lachance
* Les princes marchands, Peter C. Newman
Québec ville du patrimoine mondial, Michel Lessard
Sauvez votre planète!, Marjorie Lamb
* La sculpture ancienne au Québec, John R. Porter et Jean Bélisle
* Le temps des fêtes au Québec, Raymond Montpetit
Trudeau le Québécois, Michel Vastel

Psychologie, vie affective, vie professionnelle, sexualité

* 30 jours pour un plus grand épanouissement sexuel, Alan Schneider et Deidre Laiken
20 minutes de répit, Ernest Lawrence Rossi et David Nimmons
* Adieu Québec, André Bureau
À dix kilos du bonheur, Danielle Bourque
Aider mon patron à m'aider, Eugène Houde

L'intuition, Philip Goldberg
J'aime, Yves Saint-Arnaud
J'ai quelque chose à vous dire..., B. Fairchild et N. Hayward
J'ai rendez-vous avec moi, Micheline Lacasse
Le journal intime intensif, Ira Progoff
Le mal des mots, Denise Thériault
Ma sexualité de 0 à 6 ans, Jocelyne Robert
Ma sexualité de 6 à 9 ans, Jocelyne Robert
Ma sexualité de 9 à 12 ans, Jocelyne Robert
La méditation transcendantale, Jack Forem
Le mensonge amoureux, Robert Blondin
Mon enfant naîtra-t-il en bonne santé?, Jonathan Scher et Carol Dix
Nous, on en parle, Marcelle Lamarche et Pol Danheux
Parle-moi... j'ai des choses à te dire, Jacques Salomé
Parlez-leur d'amour, Jocelyne Robert
Parlez pour qu'on vous écoute, Michèle Brien
Penser heureux — La conquête du bonheur, image par image, Lucien Auger
Père manquant, fils manqué, Guy Corneau
Les peurs infantiles, Dr John Pearce
* Les plaisirs du stress, Dr Peter G. Hanson
Pourquoi l'autre et pas moi? — Le droit à la jalousie, Dr Louise Auger
Préparez votre enfant à l'école dès l'âge de 2 ans, Louise Doyon
Prévenir et surmonter la déprime, Lucien Auger
Le principe de Peter, L. J. Peter et R. Hull
Psychologie de l'enfant de 0 à 10 ans, Françoise Cholette-Pérusse
* La puberté, Angela Hines
La puissance de la vie positive, Norman Vincent Peale
La puissance de l'intention, Richard J. Leider
La question qui sauvera mon mariage, Harry P. Dunne
S'affirmer et communiquer, Jean-Marie Boisvert et Madeleine Beaudry
S'aider soi-même davantage, Lucien Auger
Se comprendre soi-même par des tests, Collaboration
Se connaître soi-même, Gérard Artaud
Secrets d'alcôve, Iris et Steven Finz
Se guérir de la sottise, Lucien Auger
S'entraider, Jacques Limoges
La sexualité du jeune adolescent, Dr Lionel Gendron
Si je m'écoutais je m'entendrais, Jacques Salomé et Sylvie Galland
Si seulement je pouvais changer!, Patrick Lynes
Les soins de la première année de bébé, Paula Kelly
Stress et succès, Peter G. Hanson
* Superlady du sexe, Susan C. Bakos
Le syndrome de la fatigue chronique, Edmund Blair Bolles
Le syndrome de la corde au cou, Sonya Rhodes et Marlin S. Potash
La tendresse, Nobert Wölfl
Tout se joue avant la maternelle, Masaru Ibuka
Transformer ses faiblesses en forces, Dr Harold Bloomfield
Travailler devant un écran, Dr Helen Feeley
* Un monde insolite, Frank Edwards
* Un second souffle, Diane Hébert
* La vie antérieure, Henri Laborit
Vivre avec un cardiaque, Rhoda F. Levin
Vouloir c'est pouvoir, Raymond Hull

Santé, beauté

30 jours pour cesser de fumer, Gary Holland et Herman Weiss
Alzheimer — Le long crépuscule, Donna Cohen et Carl Eisdorfer

L'arthrite, Dr Michael Reed Gach
*Comment arrêter de fumer pour de bon, Kieron O'Connor, Robert Langlois et
    Yves Lamontagne
De belles jambes à tout âge, Dr Guylaine Lanctôt
Dormez comme un enfant, John Selby
Dos fort bon dos, David Imrie et Lu Barbuto
Être belle pour la vie, Bronwen Meredith
Le guide complet des cheveux, Philip Kingsley
L'hystérectomie, Suzanne Alix
Initiation au shiatsu, Yuki Rioux
Maigrir: la fin de l'obsession, Susie Orbach
Le manuel Johnson & Johnson des premiers soins, Dr Stephen Rosenberg
Les maux de tête chroniques, Antonia Van Der Meer
Maux de tête et migraines, Dr Jacques P. Meloche et J. Dorion
Mini-massages, Jack Hofer
Perdre son ventre en 30 jours, Nancy Burstein
Principe de la technique respiratoire, Julie Lefrançois
Programme XBX de l'aviation royale du Canada, Collectif
Le régime hanches et cuisses, Rosemary Conley
Le rhume des foins, Roger Newman Turner
Ronfleurs, réveillez-vous!, Jocelyne Delage et Jacques Piché
Savoir relaxer — Pour combattre le stress, Dr Edmund Jacobson
Soignez vos pieds, Dr Glenn Copeland et Stan Solomon
Le supermassage minute, Gordon Inkeles
Le syndrome prémenstruel, Dr Caroline Shreeve
Vivre avec l'alcool, Louise Nadeau

le jour,
éditeur

Ouvrages parus au Jour

Affaires, loisirs, vie pratique

L'affrontement, Henri Lamoureux
Les bains flottants, Michael Hutchison
Le cœur de la baleine bleue, Jacques Poulin
Conte pour buveurs attardés, Michel Tremblay
*La France à la québécoise, André Bergeron et Émile Roberge
*Le guide du répondeur bien branché, Robert Blondin et Lucie Dumoulin
J'avais oublié que l'amour fût si beau, Évette Doré-Joyal
Jean-Paul ou les hasards de la vie, Marcel Bellier
Oslovik fait la bombe, Oslovik

Ésotérisme, santé, spiritualité

L'astrologie pratique, Wofgang Reinicke
Couper du bois, porter de l'eau — Comment donner une dimension spirituelle à la
    vie de tous les jours, Collectif
Le grand livre de la cartomancie, Gerhard von Lentner
Grand livre des horoscopes chinois, Theodora Lau

Essais et documents

Psychologie, vie affective, vie professionnelle, sexualité

---

* Pour l'Amérique du Nord seulement

Achevé   Imprimerie
d'imprimer Gagné Ltée
au Canada Louiseville